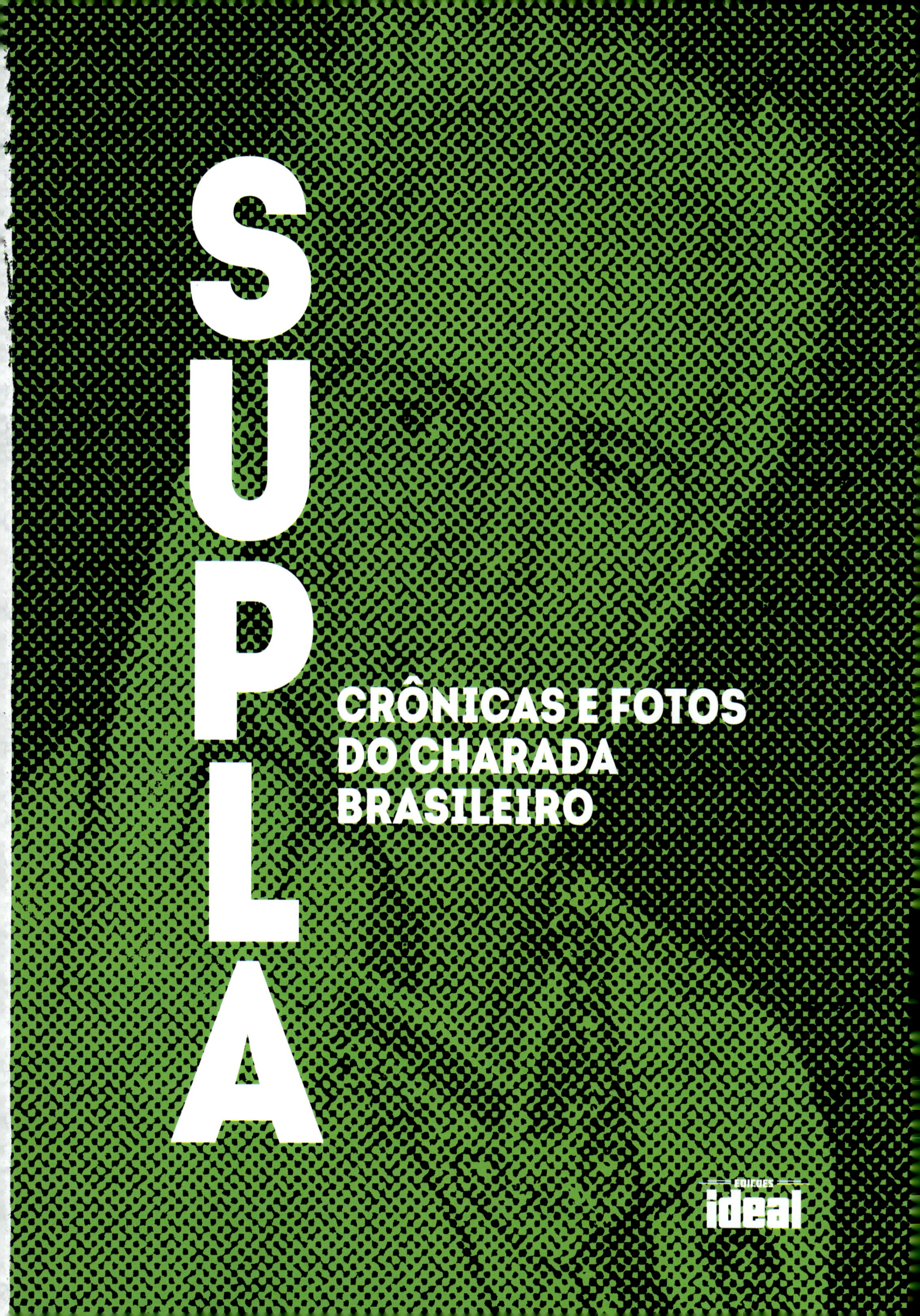

SUPLA

CRÔNICAS E FOTOS DO CHARADA BRASILEIRO

EDIÇÕES ideal

Copyright © 2016, Supla
Copyright desta edição © 2016, Edições Ideal

Todos os direitos reservados. Nenhuma parte desta publicação pode ser reproduzida, armazenada em sistema de recuperação ou transmitida, em qualquer forma ou por quaisquer meios (eletrônico, mecânico, fotocópia, gravação ou outros), sem a permissão por escrito da editora.

Editor: Marcelo Viegas
Conselho Editorial: Maria Maier e Felipe Gasnier
Textos: Supla (com colaboração de Tatiana Prudencio)
Capa, Projeto Gráfico e Diagramação: Guilherme Theodoro
Revisão: Mário Gonçalino
Supervisão Geral: Felipe Gasnier
Foto da capa: Bob Gruen
Foto da quarta capa: Mateus Mondini

Dados Internacionais de Catalogação na Publicação (CIP)
(eDOC BRASIL, Belo Horizonte/MG)

S959s

Supla, 1966-.
 Supla: crônicas e fotos do charada brasileiro / Supla. – São Bernardo do Campo (SP): Ideal, 2016.
 152 p. : il. ; 20,5 x 27,5 cm

ISBN 978-85-62885-59-4

1. Músicos - Brasil - Biografia. 2. Suplicy, Eduardo Smith de Vasconcelos, 1966-. I. Título.

CDD-927.8981

04.01.2016

EDIÇÕES IDEAL

Caixa Postal 78237
São Bernardo do Campo/SP
CEP: 09720-970
Tel: 11 2374-0374
Site: www.edicoesideal.com

ID-34

SUPLA

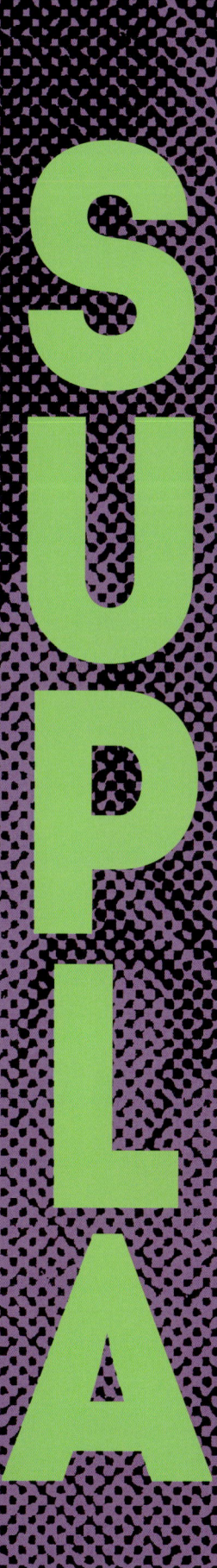

EU DEDICO ESTE LIVRO
AO ROCK AND ROLL.

Mil novecentos e oitenta e cinco. A minha antiga banda Tokyo tinha acabado de se apresentar na danceteria Latitude, em São Paulo. No camarim, a minha mãe conversou comigo: "Fiquei preocupada com você se pendurando naquelas correntes, mas quando vi que o público estava gostando, percebi que você é um artista mesmo". Era exatamente o que eu precisava escutar!

— **Supla**

SUMÁRIO

PREFÁCIO DA MÃE	P. 006
PREFÁCIO DO PAI	P. 008
INTRODUÇÃO	P. 012
EU NASCI NUMA FAMÍLIA QUATROCENTONA	P. 014
MEU PAI EDUARDO	P. 018
MINHA MÃE MARTA	P. 022
MEUS IRMÃOS: ANDRÉ E JOÃO	P. 026
UM GAROTO BRASILEIRO NUMA ESCOLA AMERICANA	P. 028
O MAIS COXINHA!	P. 030
HAWAII, PUERTO RICO E O LSD	P. 034
LUTA DE CLASSES NO RINGUE	P. 036
VIVENDO O SONHO DO FUTEBOL	P. 040
OS IMPOSSÍVEIS	P. 044
PRIMEIRA VEZ NO ESTÚDIO	P. 046
MINHA MÃO DIREITA	P. 048
ESSES HUMANOS	P. 052
FOLHA DE SÃO PAULO DETONANDO O TOKYO	P. 054
NINA HAGEN, A GAROTA DE BERLIM	P. 056
ROUPA X	P. 058
MINHA PRIMEIRA CAPA DE REVISTA	P. 060
JUVENTUDE EXIBICIONISTA	P. 064
SUPLA X IDOL	P. 066
CAZUZA USOU MINHAS BOTAS	P. 068
NOS FILMES	P. 070
GIRLS, GIRLS, GIRLS	P. 072
MEU DOCE LAR NO LOWER EAST SIDE	P. 076
FUCK! LEVEI UM TIRO EM NY	P. 080
DESTRUINDO PAREDES AO SOM DE SOULFLY	P. 082
O FOTÓGRAFO BOB GRUEN	P. 084
CHUVA DE CUSPARADAS NA ABERTURA DO RAMONES	P. 088
BIZNESS EM NY	P. 090
O XERIFE FABIO BOPP	P. 092
JUSTIN, MEU AMIGO INTELECTUAL	P. 093
O DJ KOOL KOJAK	P. 094
O ARTISTA LOUIE GASPARRO	P. 096
SALVE, JOÃO SALOMÃO!	P. 100
SUPLA ZOO	P. 102
EU SÓ TENHO UMA TATUAGEM	P. 104
GREEN HAIR (JAPA GIRL)	P. 106
A BANDA HOLLY TREE	P. 108
SILVIO SANTOS, O VERDADEIRO CHARADA BRASILEIRO	P. 110
POLÍTICA NÃO É SÓ NO CONGRESSO!	P. 112
EU SOU O MEU EMPRESÁRIO	P. 114
ONDE A MÁGICA ACONTECE	P. 116
A ROQUEIRA RITA LEE	P. 120
FOTO COM O DEUS E O MUNDO	P. 122
WE ARE THE BROTHERS OF BRAZIL	P. 126
ELAS FAZEM O MEU VISUAL	P. 132
ANARCHY IN THE BRAZIL (UM SEX PISTOL NO ROCK IN RIO)	P. 136
VAMOS VER TV PARA SE ENTRETER	P. 140
PAPITO IN LOVE	P. 142
DIGA O QUE VOCÊ PENSA	P. 144
VIVENDO NO CAOS DO CENTRO	P. 146
AGRADECIMENTOS	P. 150

PREFÁCIO DA MÃE

POR MARTA SUPLICY

FOTO ARQUIVO PESSOAL SUPLA

EDU É UMA PESSOA DETERMINADA E OBSTINADA. Desde pequeno mostrou muito talento para esportes e com uns sete ou oito anos começou seu interesse pela música. Estes dois vértices formam seus principais interesses e seus caminhos na vida. Assim como os quatro anos de infância nos EUA o marcaram para sempre.

A música entrou fortemente sob outra perspectiva na sua vida quando, voltando dos EUA antes dos pais para não perder o ano escolar, foi morar com os avós. Na frente da casa dos meus pais moravam três rapazes músicos e o caçula, de idade próxima do Edu, logo formou um grupo musical com ele na bateria. Daí para frente a música passou a concorrer fortemente com os esportes: era campeonato de basquete, natação, meu pai introduziu o polo, o pai o boxe e ele disputando campeonatos pelo Paulistano com excelente desempenho.

Logo pediu uma bateria e, depois de ver todo tipo de lata sendo instrumentalizada, decidimos comprar uma bateria usada. Não parou mais e no seu aniversário ganhou uma nova que foi instalada no meio da sala. Minhas amigas perguntavam como eu aguentava os ensaios. Para mim não incomodavam nada. Mais tarde meu pai nos presenteou com um estúdio de música no jardim da casa e os vizinhos devem ter ficado agradecidos.

Algum tempo depois criou uma nova banda, que estourou nas paradas, com uma música: "Garota de Berlim". Não tínhamos certeza do que isto significaria para ele e fizemos questão que fizesse vestibular. Passou em Economia na PUC. Eu perguntava como era o contrato (viajavam o Brasil todo) e ele respondia que músico não tinha contrato. Até perceber numa das viagens que não era bem assim.

Num dia de almoço chegou da faculdade, da qual reclamava e queria parar, dizendo que estava no meio da aula de Macroeconomia e se perguntara porque estava ali com tanto show para organizar, ensaiar etc. O comentário desta vez soou diferente e percebi que não iria adiantar muito ficar na aula. Concordamos que poderia trancar a matrícula. Nem se deu ao trabalho. Nunca mais voltou e a banda Tokyo estourou.

As namoradas duravam, mas as brigas eram tão constantes que a família toda ouvia (não existia celular). Lembro quando pintou o cabelo de loiro. Estávamos almoçando e o garfo parou no ar com seu pai perguntando: "Isso sai?". Respondi que sim. Nunca mais mudou. Com a tatuagem, não lembro aonde foi feita, mas me recordo que foi um choque pelo tamanho do cavalo alado. Depois ficou mais chocante quando virou a morte.

Entrementes, a carreira política de seu pai crescia e as reuniões na sala, em casa, eram uma constante. Edu reclamava, sentia-se invadido, conversou conosco e concordamos que não ocorreriam mais. Em alguns dias, quando acordou, deparou-se com um estúdio montado na sala para gravar o programa eleitoral do PT com Lula, Sócrates, Antônio Fagundes, Lucélia Santos... Arrumou as malas e foi morar com meus pais que sempre o mimaram. Minha mãe batia claras em neve para fixar seus cabelos espetados e meu pai sentia enorme orgulho de seu desempenho no polo: "Tinha talento para se profissionalizar".

O tempo do Tokyo passou e resolveu buscar o sonho de ter uma banda nos EUA. Foi sem dinheiro, disposto a trabalhar no que desse e tentar formar uma banda lá. Logo se enturmou musicalmente e para se manter trabalhava em mudanças e até como jogador de futebol, o que lhe valeu uma primeira operação no joelho. Voltou anos depois, cheio de experiências, adulto e totalmente independente...

Daí para frente foi fazendo suas escolhas e caminho, sempre do seu jeito, sem perguntar. Só soubemos de sua participação no primeiro reality da TV brasileira no SBT quando já estava tudo assinado. Por que? Perguntei. "Porque você iria ser contra e eu queria fazer".

Este é o Edu. Acredito que organizou sua vida exatamente como gostaria de vivê-la.

PREFÁCIO DO PAI

POR EDUARDO MATARAZZO SUPLICY

FOTO ARQUIVO PESSOAL SUPLA

EDUARDO, O SUPLA, é o primeiro de nossos três filhos tão queridos. Eu e Marta havíamos nos casado em 15 de dezembro de 1964, eu aos 23 e ela aos 19 anos, depois de 4 anos de namoro. Eu havia acabado de me formar na Escola de Administração de Empresas de São Paulo, da FGV, e ela estava fazendo psicologia no Instituto Sedes Sapientiae. No primeiro ano e meio, moramos na casa de meus pais, na Alameda Casa Branca. Eduardo nasceu em 2 de abril de 1966. Após trabalhar o ano de 1965 no Escritório Suplicy, com meu pai, Paulo Cochrane Suplicy, resolvi prestar concurso para ser professor de Economia na FGV. Graças a ter passado, pude então seguir para a Michigan State University, nos EUA, para fazer o Mestrado em Economia.

Eduardo era um menino super saudável, cheio de energia que, desde os primeiros dias, nos deu grandes alegrias. Com cinco meses de idade, nos acompanhou em viagem, primeiro para Nova York, depois para East Lansing, onde passamos a morar num apartamento em Cherry Lane, no campus da MSU. Logo chegou o longo inverno, com muita neve para brincarmos juntos. Cedo ele começou a andar, a brincar com as crianças dos vizinhos das mais diversas nacionalidades, aprendeu português e inglês, praticamente com igual fluência. Ao longo de toda a sua meninice ele demonstrava extraordinária energia. Quando íamos a um restaurante ele caminhava pelas mesas, conversava com todas as pessoas, costumava também ir à cozinha, falava com os cozinheiros e garçons, até que chegasse a hora de comer.

Desde os primeiros passos, tornou-se ótimo esportista. Praticava todos os esportes, desde o futebol, que joga bem até hoje, o basquete, o tênis, a natação, sobretudo o surfe, o polo, que aprendeu com seu avô, Luiz Affonso Smith de Vasconcellos, o boxe, a corrida e assim por diante. Com respeito ao futebol, quando meu pai tinha 16 anos, morava em Santos, foi jogador do primeiro time amador e um dos fundadores do Santos Futebol Clube. Quando eu era menino, meu pai gostava de me levar para assistir aos jogos do Santos. Assim tornei-me torcedor do Santos, mesmo antes dos tempos extraordinários de Pelé. O mesmo fiz com meus filhos Eduardo, André e João, pois muitas vezes fomos assistir juntos os jogos do Santos no Pacaembu, na Vila Belmiro ou no Morumbi. Lembro-me bem de tê-los levado para assistir uma final de campeonato contra a Portuguesa, assim como também a estreia do Neymar. Após o jogo, fomos cumprimentá-lo no vestiário.

Quando terminei o Mestrado e me dispus prosseguir em direção ao Ph.D., Marta, que havia bem aprendido o inglês no período que lá estivemos e que já tinha completado dois anos de psicologia no Brasil, propôs-me que voltássemos para que ela pudesse completar o seu bacharelado no Sedes, por mais dois anos, e daí voltaríamos para que ela pudesse então fazer o mestrado nos EUA. Assim, voltamos em junho de 1968. Fomos morar na Rua Salvador Mendonça, junto à Praça Morungaba, por dois anos, período em que nasceu André, em 15 de dezembro de 1968.

Quando Marta concluiu seu curso de Psicologia, preparámo-nos para voltar. Recebi uma Bolsa para estudar em Stanford University, mas com o plano de primeiro concluir os cursos e exames preliminares compreensivos para o doutorado, na MSU, para daí irmos para Stanford onde eu teria um período livre de estudos por um ano, período em que poderia trabalhar em minha tese de doutoramento sobre "Os Efeitos das Minidesvalorizações sobre a Economia Brasileira", de 1968-73. Marta então pode fazer o seu mestrado em Psicologia, metade na MSU e outra metade em Stanford. Ao final do ano de 1972, voltei para a Michigan State University onde permaneci até completar a defesa da tese, em junho de 1973. Neste último semestre, Eduardo e André voltaram ao Brasil e moraram com os avós Luiz e Noêmia Smith de Vasconcellos, que os tratavam com imenso carinho e atenção.

Assim, meu filho Eduardo viveu parte de sua infância nos EUA, primeiro de agosto de 1966 a junho de 1968, depois de setembro de 1970 até dezembro de 1972. Como nós gostávamos muito de música, tanto de música brasileira, quanto internacional, estávamos sempre ouvindo cantores como os Beatles, Bob Dylan, Joan Baez, Don McLean, Ray Charles, Elvis Presley,

Sam Cooke, Frank Sinatra, Cat Stevens, James Brown, Little Richard, Janis Joplin, Nina Simone, Neil Young, Tom Jobim, João Gilberto, Chico Buarque, Milton Nascimento, Caetano Veloso, Roberto Carlos, Erasmo Carlos, Noel Rosa, Cartola, Tim Maia, Gilberto Gil, Maria Bethânia, Gal Costa, Nelson Gonçalves, Luiz Gonzaga, Elis Regina, Nara Leão e tantos outros. Quando havia shows de artistas no campus ou em alguma cidade perto, levávamos nossos filhos para assistir. Lembro-me muito bem de termos ido assistir um ótimo show de Joan Baez no Estádio de San Jose, na Califórnia.

Eduardo voltou dos EUA com muito gosto pela música. Ao voltarmos pela segunda vez, fomos morar na Rua Laerte de Assunção, no Jardim Paulistano. Antes, durante o tempo que ficou com os avós maternos, fez amizade com o Flávio e o Hélio, que moravam logo em frente e também gostavam muito de música. Desde menino, começou a batucar em latas, cestos de lixo, caixas de papelão e o que havia em casa para acompanhar o ritmo da música. Foi então que resolvemos dar a ele uma bateria que passou a tocar com todo entusiasmo.

Depois de frequentar o kindergarten, em Stanford, aqui no Brasil Eduardo foi estudar no Colégio Lourenço Castanho, onde fez o curso primário. Daí foi para Nossa Senhora do Morumbi, Colégio São Luís, onde eu havia estudado, depois o Colégio Vera Cruz, o Oswald de Andrade, e ainda o Objetivo, onde concluiu o ensino médio. Fez o vestibular e ingressou na PUC de São Paulo, em Economia. Passado um ano e meio, consultou-me se tudo bem dele parar de estudar, uma vez que queria se dedicar inteiramente à música. Estava tendo muitos convites para viajar com sua banda pelo Brasil. Não conseguia se interessar tanto pelas questões de macro e de micro economia, que era objeto do que eu ensinava. Eu disse a ele algo parecido com o que meu pai me disse quando resolvi fazer o concurso para ser professor de economia. "Olha, meu filho, ser professor possivelmente não vai lhe proporcionar o padrão de vida que você e sua mulher estão acostumados, mas se for o que vai lhe deixar feliz, vou procurar ajudá-lo". Transmiti ao Edu que se era o caminho da música o que mais o deixaria feliz, eu procuraria apoiá-lo.

Um aspecto significativo de minha relação com o Eduardo foi com respeito ao boxe. Certo dia, aos 15 anos de idade, quando eu voltava a pé do Colégio São Luís para casa, na Avenida Paulista, ao passar na esquina da Augusta, estudantes do Colégio Paes Leme começaram a me encarar e alguns vieram para cima de mim. Rolamos pelo chão e cheguei em casa sujo e machucado. Foi então que perguntei a um cunhado, Aguinaldo de Araújo Góis, se conhecia algum bom professor de boxe. Ele me apresentou o Lúcio Inácio da Cruz, ex-campeão meio pesado brasileiro de boxe amador, que se tornou grande amigo e deu aulas desde os meus 15 até 21 anos de idade, quando disputei o Campeonato de Estreantes da Gazeta Esportiva. Lutava bem e cheguei à semi-final. Pois bem, aos 14 anos, Eduardo esteve numa briga da torcida jovem com a do Corinthians, e achou que deveria se preparar melhor para sua defesa. Assim, resolveu frequentar o Centro Olímpico onde teve aulas de boxe com o Luís Fabre. Aos 17 anos, disputou a Forja de Campeões, o mesmo torneio que eu havia participado vinte e dois anos antes.

No início de sua adolescência, junto com Flavio Figueiredo que morava em frente à casa de seus avós, Eduardo constituiu a sua primeira banda, Os Impossíveis. Começaram a se apresentar em diversas festas de amigos e colegas. Pouco depois, Eduardo formou a banda Metrópolis, com Rodrigo, Paulo e Pinho. Dada a amizade que desenvolveu com os amigos da Rua Laerte de Assunção, Eduardo formou a nova banda Tokyo, com Bidi, Andres, Marcelo e Rocco. Oito anos mais novo que Eduardo, o João, nascido em 14 de junho de 1974, desde pequeno se tornou um mascote da banda Tokyo, sempre curtindo com atenção a música, e com muita vontade de um dia aprender um instrumento para valer.

Mais tarde, nos anos 90, Eduardo resolveu viver um tempo nos EUA, em Nova York. Foi então que lá formou a banda Psycho 69, com Steg, Louie e François. Fizeram muitos shows, viajaram um bocado, inclusive para o Brasil, onde ficaram hospedados em nossa casa. Eram animados e gentis. Mais tarde, já por volta de 2008, Eduardo e João resolveram juntar as suas qualidades, o primeiro com sua cultura hard-punk-rock e o segundo com sua preferência pela música popular brasileira, mas os dois também gostando um do estilo do outro. Quando os vi tocar juntos, qualifiquei o encontro de uma "serendipity", ou seja, uma agradável e inesperada surpresa. Por sete anos, o Brothers of Brazil se apresentou com grande sucesso no Brasil e no exterior. Em tempos recentes, eles têm também se dado a oportunidade de seguirem caminhos diferentes. Eduardo, com diversos convites para fazer programas na TV, como o Papito in Love, na MTV, e também para fazer shows solo ou com outros músicos, e João que, com os seus outros projetos, também tem feito inúmeras apresentações. Torço muito para que venham a ter sucesso, seja quando estiverem juntos, seja quando em seus próprios caminhos.

Assim como meus pais, Paulo e Filomena, fizeram comigo, procurei sempre transmitir aos meus filhos os valores cristãos de respeito e amor ao próximo, de busca da verdade, da honestidade, da busca da justiça e da importância de aprimorarmos as instituições democráticas de nosso país. Eduardo sempre acompanhou de perto o que fiz na vida. A certo momento, na adolescência, em uma de minhas campanhas majoritárias, tal era a movimentação de reuniões e entrevistas em casa, que ele pediu para morar um tempo na casa de seus avós maternos, até que passasse toda aquela fase. Sempre converso com ele sobre tudo o que se passa em nossas vidas, de nosso país e no mundo. Em todas as campanhas se posicionou ao meu lado, dispondo-se a me ajudar, sem ter se envolvido na vida política. Gosto demais da relação de amizade profunda que tenho com o Eduardo e cada um de meus filhos. É o que tenho de mais precioso.

INTRODUÇÃO

FOTO ARQUIVO PESSOAL SUPLA

TRINTA ANOS DE CARREIRA E CINQUENTA DE VIDA! Alcancei o marco de meio século! Estou na estrada profissionalmente desde 1985 quando vivi e respirei o *boom* do rock nacional com a banda Tokyo, da qual eu era vocalista. Após o sucesso da banda, segui para a carreira solo, com eventuais aventuras no cinema e na televisão.

Depois, no começo dos anos 90, tive a coragem de largar tudo e não cair na armadilha da zona de conforto. Comecei praticamente do zero em outro país. Lembro-me de estar em Nova York com quase 30 anos e pensando "o que vai ser de mim?". Tinha largado tudo no Brasil e ainda não conseguia viver de música nos Estados Unidos... Era mais um imigrante fazendo bicos para sobreviver, tudo pela vontade de estar ali, vivendo a cena do rock. Nessa época, fiz parte de uma banda chamada Psycho 69: tocávamos bastante pela cidade e assim conseguia uma grana para pagar o aluguel (e olhe lá). Era muito bom não ser reconhecido como filho de políticos! Veja bem, nada contra os meus pais, mas você não imagina o quanto isso é pesado, as pessoas misturam muito... Olhando para trás, percebo o quanto foi importante ter aberto mão do sucesso e conforto para ser um ilustre Zé Ninguém em outro país. Nunca me senti tão livre.

Assim passaram-se sete anos na América. Certo dia, recebi um telefonema do meu pai para regressar e vir ajudar minha mãe na campanha para a prefeitura de São Paulo. Decidi voltar. Nesse período, começo dos anos 2000, fiz sucesso na televisão participando da Casa dos Artistas (programa de maior ibope na história do SBT) e vendi mais de 700 mil cópias do álbum *O Charada Brasileiro* nas bancas de jornal. Foi como se tivesse renascido no Brasil.

Ao longo da minha carreira, já lancei 14 discos. Foram dois com o Tokyo, um com a banda Supla Zoo, um com o Psycho 69, três com o Brothers of Brazil (duo que tenho com meu irmão João e que ganhou até vida internacional, com várias turnês pelo mundo) e estou caminhando para o sétimo álbum solo, chamado *Diga o que você pensa* (2016). Sigo na ativa, levando a bandeira do rock and roll adiante em pleno país do samba.

Pensando nisso tudo, tive a ideia de fazer um livro. Mas queria algo que tivesse a minha cara, num tom descontraído, sem o peso das biografias, simples e rápido de ler, estilo punk rock, com muitas fotos que ilustrassem (quase) todas as fases da minha vida.

Conversando com minha amiga Tatiana Prudencio, ela sugeriu que eu escrevesse pequenas crônicas. E foi uma ótima opção: desse modo pude relembrar e contar as muitas loucuras vividas, coisas que muita gente não sabe, recordações da infância, histórias de família, meu amor pelos esportes, músicas, romances, tretas, pessoas que passaram pela minha vida, memórias da época em que morei em Nova York e registros da minha carreira aqui no Brasil e nos EUA.

O que eu mais quero com este livro é que você possa se inspirar para seguir o seu próprio caminho. Eu segui o meu e está valendo a pena!

Minha vida certamente não se resume a 50 crônicas, mas posso garantir que aqui estão reunidos fatos e fotos muito marcantes para mim.

Divirta-se.

SUPLA
São Paulo/SP
Janeiro de 2016

1

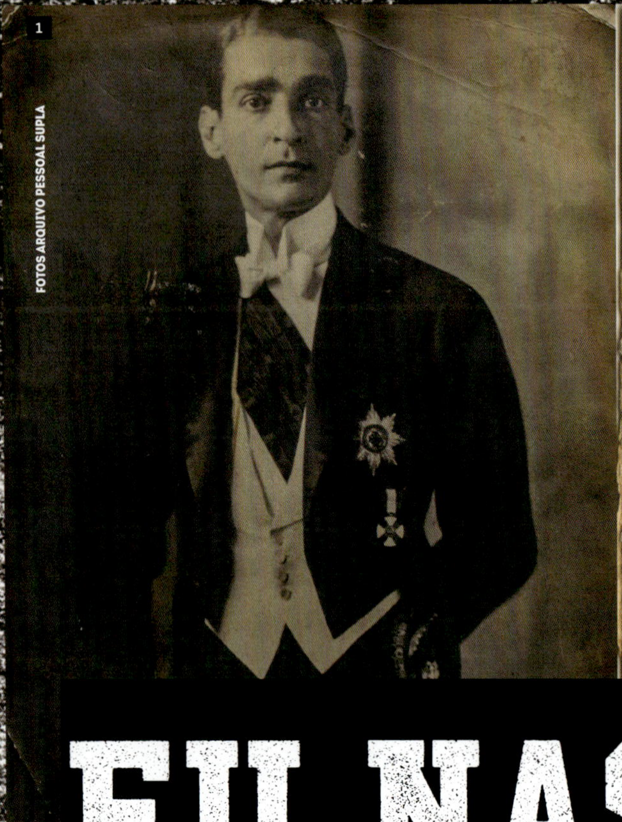

FOTOS ARQUIVO PESSOAL SUPLA

2

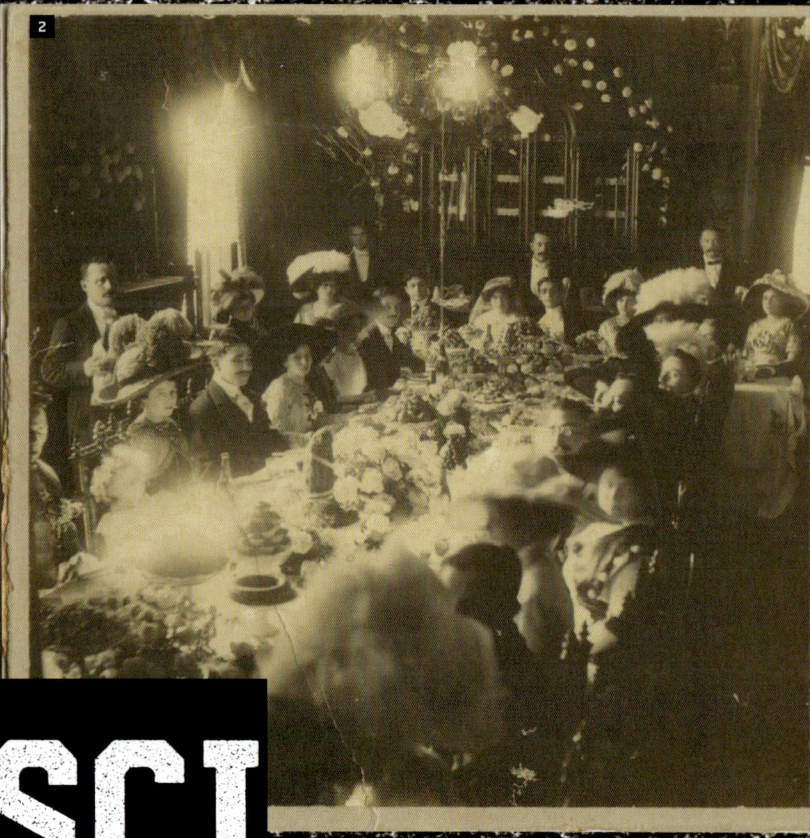

EU NASCI NUMA FAMÍLIA QUATROCENTONA

4

5

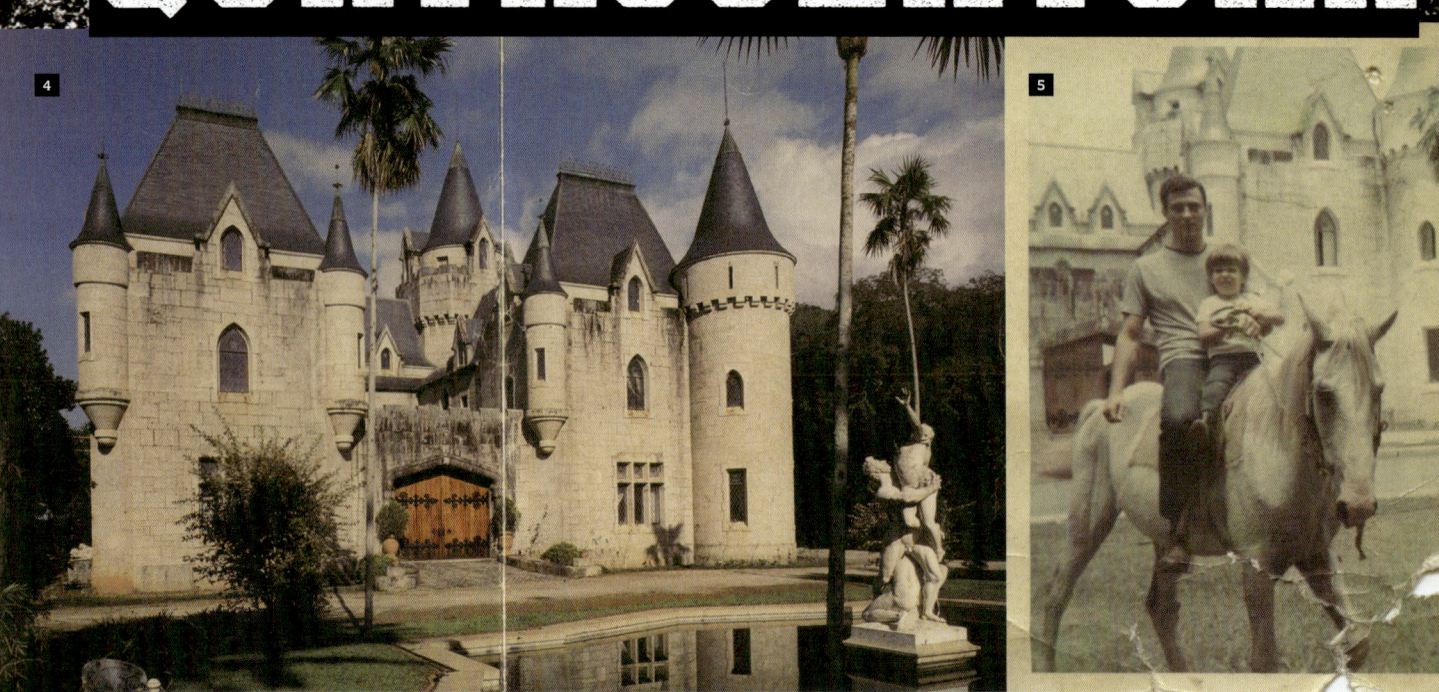

1. Barão Smith de Vasconcellos; 2. Jantar na mansão do Barão Smith de Vasconcellos, em Copacabana; 3. Certidão de nascimento de Eduardo Suplicy, o Supla; 4. O Castelo de Itaipava; 5. Pai e filho em Itaipava; 6. Eduardo, Marta e o recém-nascido Supla, em 1966.

3

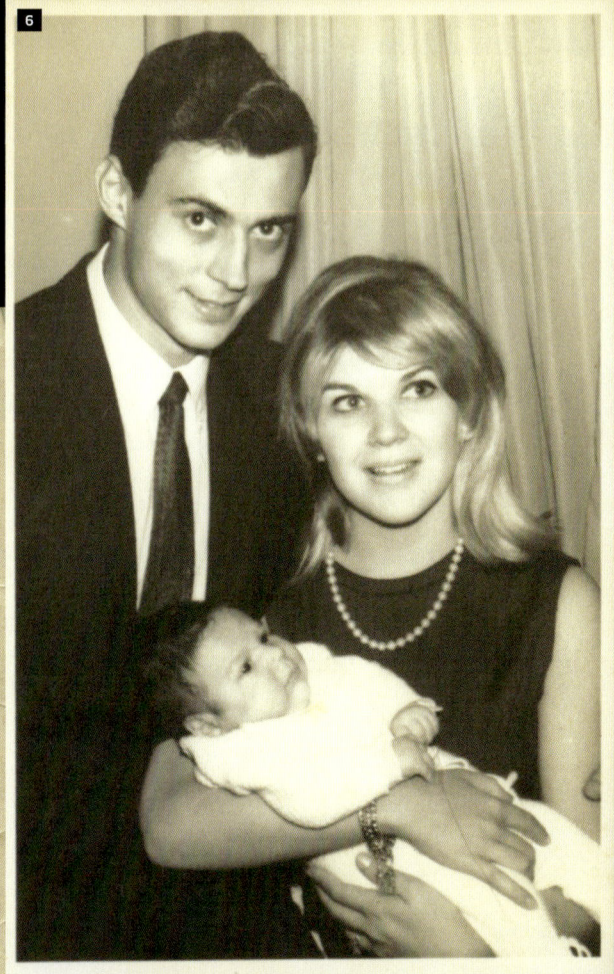

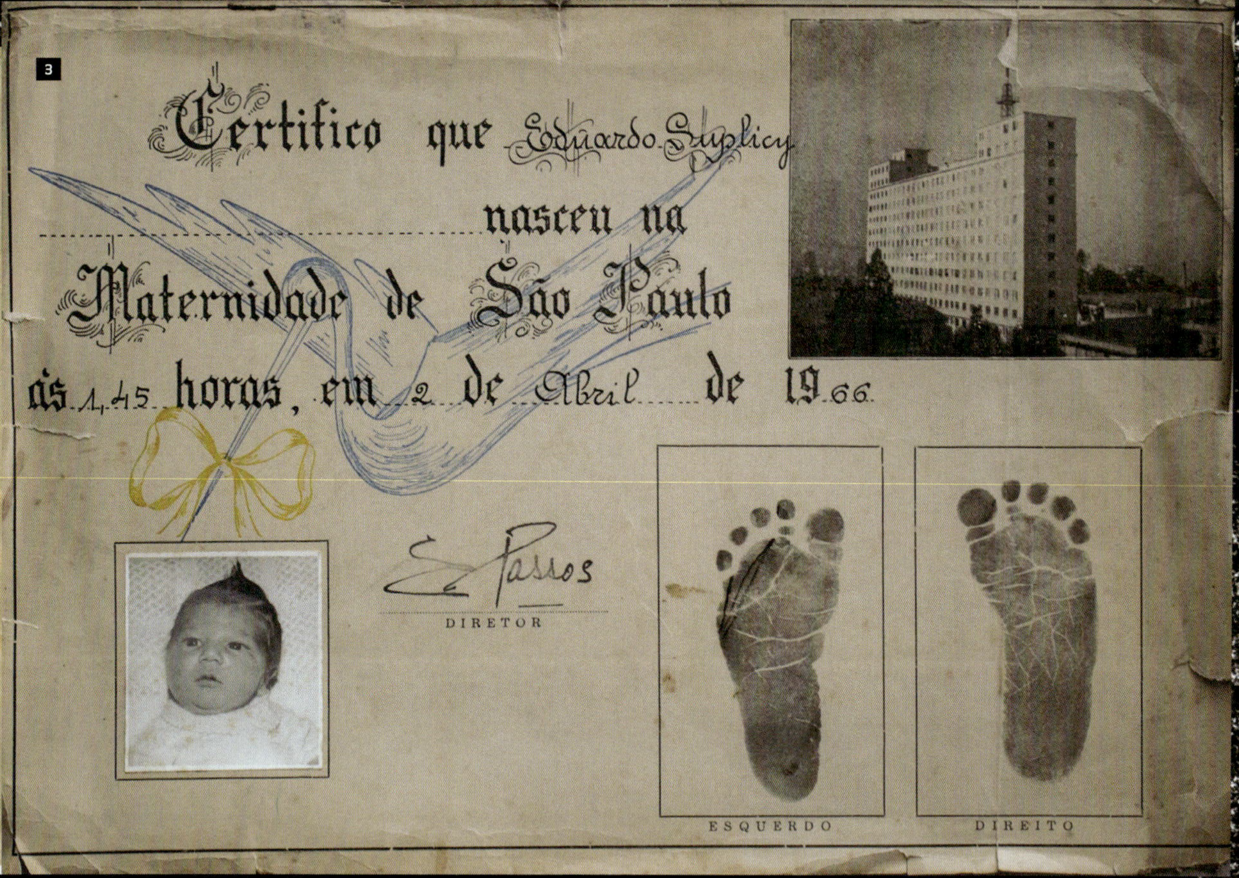
Certifico que Eduardo Suplicy nasceu na Maternidade de São Paulo às 1.45 horas, em 2 de Abril de 1966

E. Passos
DIRETOR

ESQUERDO

DIREITO

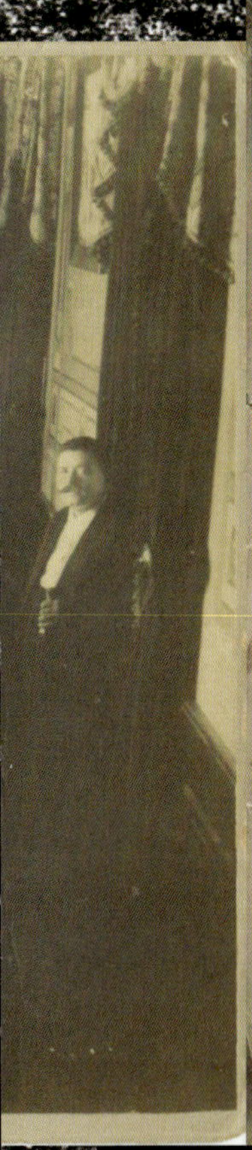

6

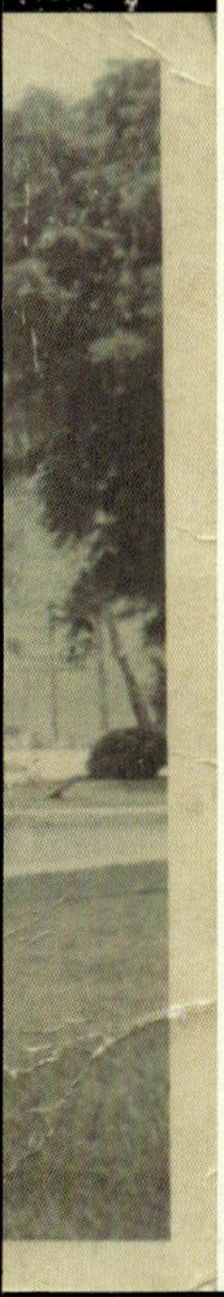

ACHO MEIO RIDÍCULO essa história de nome de família, sangue azul e o escambau, sem maldade... O importante é ter educação, ganhar o respeito por aquilo que você é e não pelo seu status social, mas por outro lado é de onde eu venho, por parte do meu pai com o sobrenome Matarazzo e por parte da minha mãe com o Barão Smith de Vasconcellos.

É bizarra essa foto do meu bisavô, o barão Jaime Smith de Vasconcellos, sentado na ponta da mesa durante um jantar em sua mansão, no bairro de Copacabana (Rio de Janeiro). A família até construiu um castelo em Itaipava, na cidade de Petrópolis (RJ), com as pedras vindas da Itália! Ali passei alguns natais e carnavais com meus pais e familiares.

Uma vez fui para a Itália junto com o meu pai, para conhecer a origem da família Matarazzo, e almoçamos na casa de uma tia-avó italiana. Logo que entramos na casa, ela disse para mim e o meu pai:

"Um político de *sinistra*[1] e um bandoleiro!"

Eu estava no melhor estilo punk! Não aguentei e ri muito.

1 *Em português: esquerda.*

MEU PAI EDUARDO

1. Pai e filho, em 1986; 2. O futuro senador e o futuro rock star, em Albany (EUA); 3. No campus da Michigan State University, em novembro de 1966; 4. Matando a saudade do Brasil por telefone, em outubro de 1966; 5. No meio da estrada entre Los Angeles e San Francisco, em março de 1972; 6. Eduardo com os filhos André e Supla. San Francisco, outubro de 1971; 7. Primeiro inverno nos EUA. Novembro de 1966.

Supla no "cavalinho" do papito Suplicy

Nem **Supla** sabia da intenção de **Eduardo Suplicy** de aparecer no show que o roqueiro promoveu no Sesc Itaquera, em São Paulo, no domingo 24. "Olhem, chegou o senador", gritou o roqueiro para o público de 10 mil pessoas ao avistar o pai no meio da multidão. Suplicy adorou. Pôs o filho sobre os ombros e o levou até o público – para desespero dos seguranças da festa.

1. Reprodução da revista IstoÉ Gente, de março de 2002; 2. Dona Filomena Matarazzo Suplicy, acompanhada pelo filho e pelo neto; 3. Eduardo Suplicy curtindo o show do filho no meio da galera.

QUANDO PENSO EM MEU PAI, me vem um sentimento de muito amor. Ele sempre me apoiou nas minhas decisões e dizia: "Se você escolher fazer música ou qualquer outra profissão, dedique-se".

Nós temos uma forte ligação, talvez por eu ter sido o seu primeiro filho.

Para tirar o meu pai do sério você tem de abusar demais da paciência dele. A única vez em que ele me bateu foi quando desrespeitei minha mãe; ele me perguntou se eu merecia uma palmada, e eu disse que sim! Hahahaha. Levei uma bem ardida!

Uma das histórias que guardo bem na memória aconteceu durante uma viagem de carro para o Nordeste. A família toda estava presente e meu pai ia dirigindo e contando a história do livro que ele estava lendo, *Negras Raízes* (de Alex Haley), sobre um escravo negro chamado Kunta Kinte. Ele sempre se preocupou em nos conscientizar sobre os direitos humanos. Esse é um dos momentos em família que guardo com carinho no coração.

Ah, e não posso deixar de falar do dia em que ele me viu de cabelo descolorido pela primeira vez. Ele olhou pra mim e na sequência perguntou à minha mãe: "Vai ficar assim pra sempre?".

Pra sempre não, pai, mas já tá durando uns 30 anos!

MINHA MÃE MARTA

1. "A porta atrás da cabeça do Eduardinho é o nosso apto", diz a legenda original da foto, anotada a caneta no álbum de família. Marta e Eduardinho, Michigan, 1966; 2. Supla fase Tokyo e Marta fase TV Mulher.

MINHA MÃE.

Mulher guerreira, trabalhadora, feminista, não leva desaforo para casa e as pessoas não fazem a menor ideia de como ela ajudou o meu pai em sua trajetória política. Fico puto da vida quando dizem que ela se aproveitou dele para entrar na política, não sabem de nada... Era ela quem mais contribuía financeiramente para o sustento de nossa família, como psicóloga (tinha vários pacientes), fazendo palestras e trabalhando na televisão. Ela sempre apoiou o meu pai, em todas as épocas - inclusive ela angariou muitos votos para ele com a sua fama na TV Mulher (programa da Rede Globo voltado para o público feminino, exibido entre 1980 e 1986). Sempre admirei muito a sua batalha pelos direitos das mulheres. Acredito que ela sofreu muito preconceito da classe média, por ser mulher, poderosa e não ter papas na língua.

Na minha opinião, a gestão dela na prefeitura de São Paulo foi muito boa, principalmente para as pessoas menos privilegiadas. O Bilhete Único e os CEUs (Centro Educacional Unificado) são coisas que mudaram as vidas de muitas pessoas. Minha mãe não quis ser uma dondoca na vida; ela quis ir atrás das coisas que ela acredita, como o feminismo e ajudar as pessoas. É por isso que ela entrou para a política: para ajudar o povo. Acredito nela, independentemente de ser a minha mãe.

E foi por isso que não deixei barato quando o Datena falou mal dela num programa da Hebe. Essa história é engraçada: foi um programa especial de aniversário da Hebe, gravado na Sala São Paulo, e fui convidado junto com a minha mãe, que era a prefeita da cidade na época. Tinha muita gente famosa ali na plateia e o microfone ia passando de mão em mão, até que caiu na mão do Datena e ele já começou mencionando o nome da prefeita... Nem pensei duas vezes, já levantei e saí na defesa dela sem nem saber o que ele ia falar! Ele disse que minha mãe não precisava de ninguém para se defender, e pensei "Datena, você dá pena"... E disse que não deixaria que ele ficasse falando groselha da minha mãe na minha frente e ponto final. A Hebe ficou observando a discussão sem saber o que fazer... Ela deve até ter gostado, essas coisas dão ibope! Tempos depois encontrei novamente o Datena, e ficou na boa.

Eu amo a minha mãe e ela sabe que sempre pode contar com o meu apoio.

Amor de mãe não morre, e de filho também!

1. A alegria estampada no rosto de Marta Suplicy ao ver o primogênito dar os primeiros passos; 2. Suplinha toma um suco no colo da mamãe; 3. Família reunida no aeroporto para recepcionar o irmão mais velho depois da viagem para o Havaí, em 1983. "Olha a minha sacola da Rip Curl!"; 4. Mãe e filho na época em que moraram nos EUA.

MEUS IRMÃOS: ANDRÉ E JOÃO

1. André, Supla e João. Safari com os irmãos na África; 2. Supla e André fantasiados de índio para o carnaval no castelo de Itaipava; 3. Supla e João na casa da família na Rua Grécia, em São Paulo; 4. A banda Tokyo na danceteria Latitude, em 1985, com o João estilo punk mirim roubando a cena; 5. Recebendo a visita do irmão João em Nova York, nos anos 90; 6. André, Suplicy e Supla em Nova York, na festa do Brazilian Day. "O Psycho 69 tocou nesse dia e foi um choque", diz Supla.

EU SOU O MAIS VELHO dos três irmãos, depois seguem André e João.

O André é muito forte: seu apelido no futebol e no rugby é Minotauro. Inteligente e engraçado, sempre tem uma piadinha para contar. É um grande advogado, me ajuda nos contratos e já fez até letra comigo. Pai de 3 filhos: Rafael de 1 ano e dez meses, Bernardo meu afilhado de 9 anos e Teodoro de 13 anos.

Lembro-me quando éramos pequenos e o André sofreu um acidente. Isso me marcou muito, pela primeira vez pude sentir a tristeza de quase perder um irmão... Foi um grande alívio quando ele ficou bem, tão bem que quando jogamos bola ele barbariza com seus gols de trivela!

Meu irmão caçula, o João, já é conhecido pelo público. Ele é um músico muito talentoso, como cantor, guitarrista e compositor. Temos uma banda chamada Brothers of Brazil desde 2008, e com isso nossa relação ficou mais intensa... Brigamos e fazemos as pazes várias vezes, somos irmãos e isso é inevitável! Mesmo sendo oito anos mais novo do que eu, ele também é pai de 3 filhos, Laura de 12 anos, Maria Luiza de 11 e Felipe de 7. Com tantos sobrinhos, o João fez até uma música me chamando de Tio Supla...

Quando ele era pequeno, eu pintava o cabelo dele de laranja e o levava para os meus shows com a banda Tokyo, e ele sempre fazia um discurso de abertura, era divertido vê-lo de mini punk... Acredito que de tanto escutar rock e ter o irmão mais velho falando disso o tempo inteiro, o João entendeu bem o espírito punk. Ele teve a atitude de ir atrás das coisas que ele se identificava e não o que o seu irmão mais velho buzinava em seu ouvido!

Amo meus irmãos!

FOTOS ARQUIVO PESSOAL SUPLA

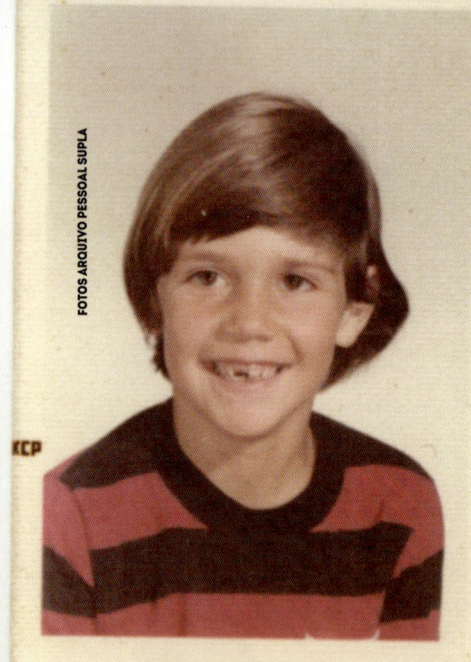

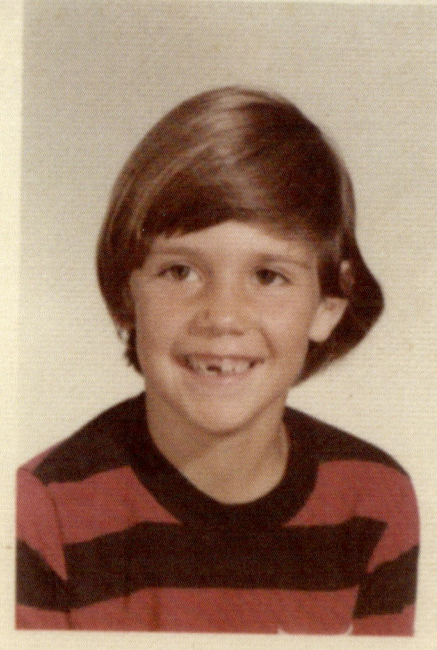

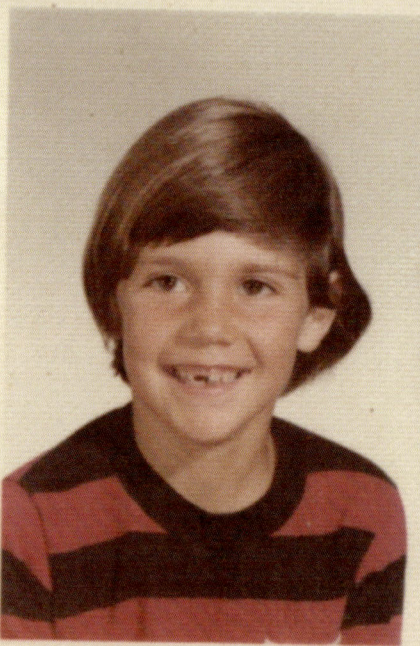

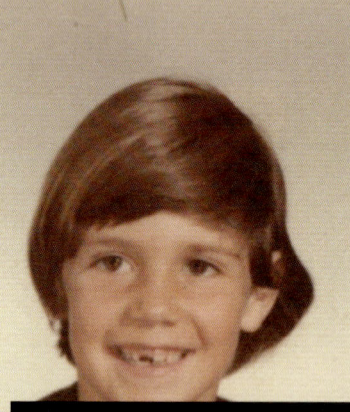

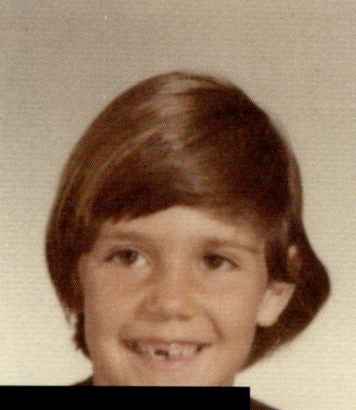

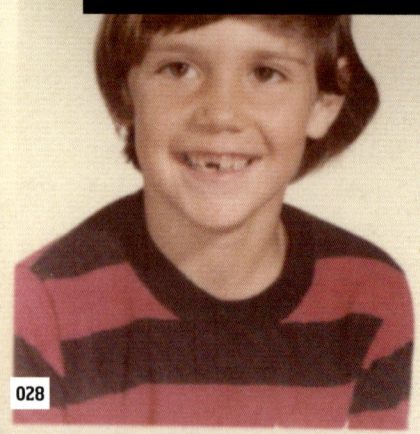

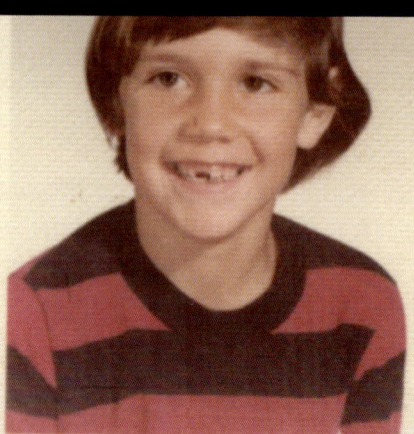

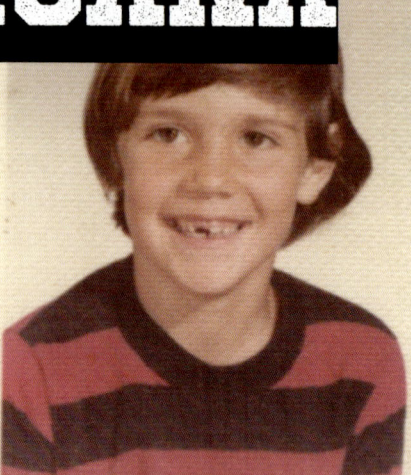

UM GAROTO BRASILEIRO NUMA ESCOLA AMERICANA

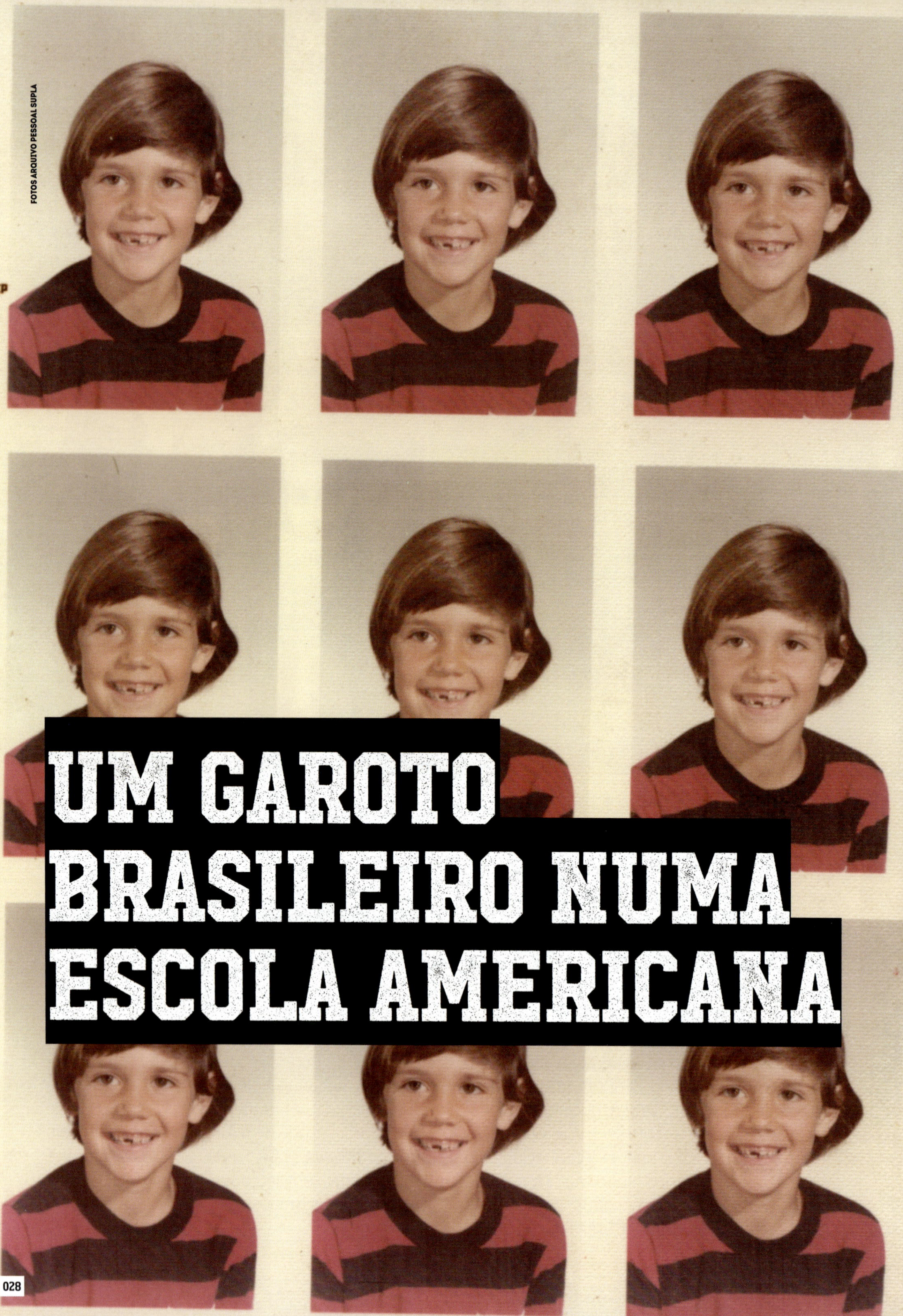

Onde está o Wally? O pequeno Supla é facilmente identificável na foto da turma 72-73 da Escondido School, basta procurar pela camiseta do Flamengo.

MINHA FAMÍLIA MUDOU PARA OS ESTADOS UNIDOS quando eu era muito pequeno, tinha um ano de idade e morei lá até os oito, entre idas e vindas. Os meus pais foram para a América para fazer pós-graduação: o meu pai em economia e minha mãe em psicologia.

Eu adorava ir para a escola nos Estados Unidos... Eu tinha várias camisas de futebol dos times brasileiros. Enquanto os meus colegas usavam as camisas de futebol americano, eu usava do Flamengo, Vasco, Palmeiras e Santos. Nos intervalos, brincávamos de menino pega menina (tipo esconde-esconde) e essa era uma das razões pelas quais eu gostava de ir à escola.

Quando voltei ao Brasil, o meu inglês era fluente, mas o meu português era atrapalhado... tive que me esforçar muito para acompanhar a turma e passar de ano na escola Lourenço Castanho! Quando não conseguia me comunicar direito, lembro que sempre falava "I hate you" para as pessoas... era uma espécie de armadura para aliviar a minha frustração por não conseguir me expressar.

Até hoje a língua inglesa invade a minha mente... Quando você me escuta numa entrevista no rádio ou num programa de TV falando uma ou outra palavra em inglês, não é porque quero aparecer tipo um gringo bobo, mas sim algo que vem de modo natural e acabou virando até uma marca registrada. No fundo, sou muito grato aos meus pais por essa oportunidade que tive; isso só me ajudou a poder transitar entre duas culturas diferentes. O meu avô Luiz sempre me dizia: "Dinheiro vai e vem, mas a cultura e o conhecimento são para sempre".

FOTO MATEUS MONDINI

O MAIS COXINHA!

1

FOTO ARQUIVO PESSOAL SUPLA

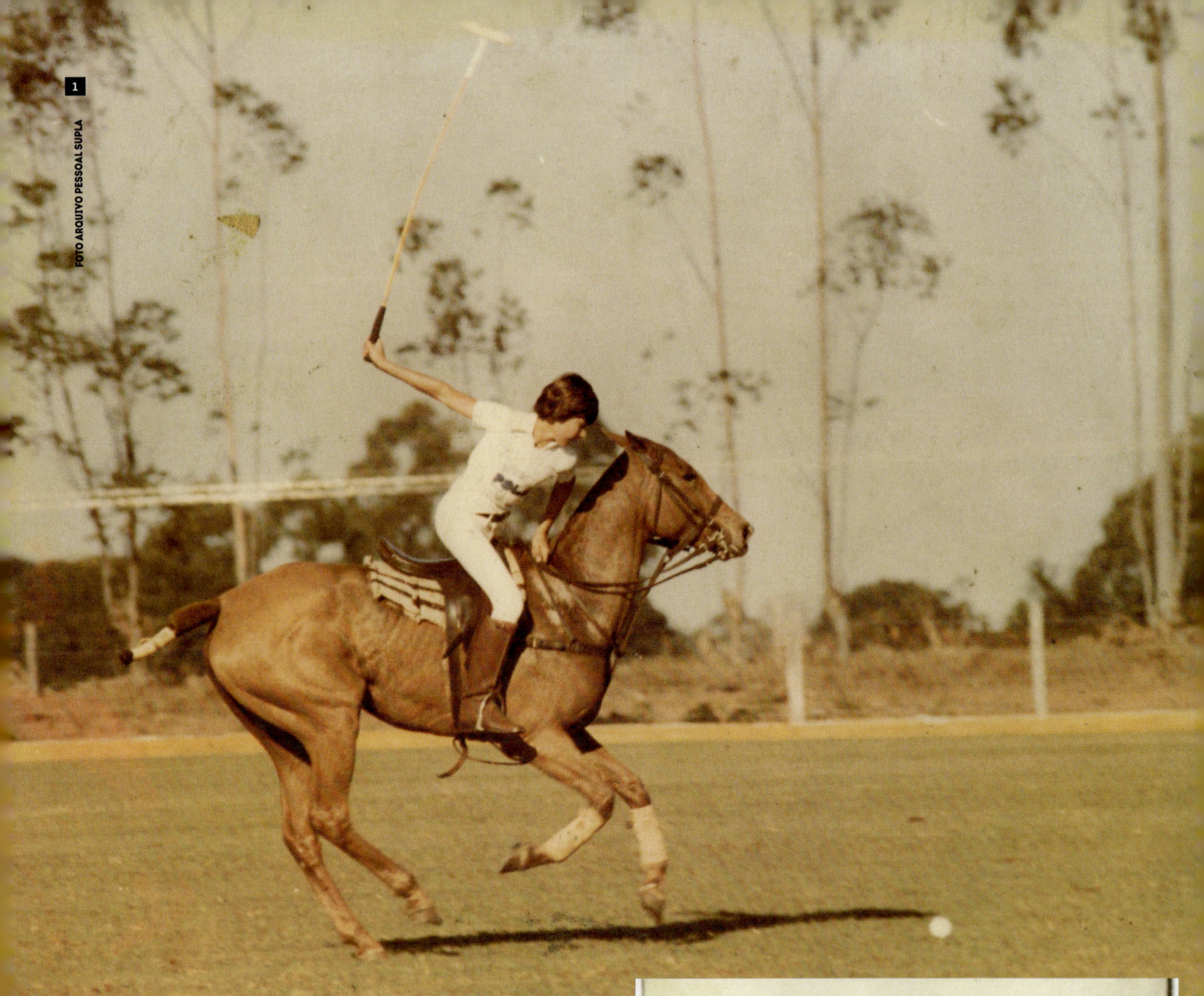

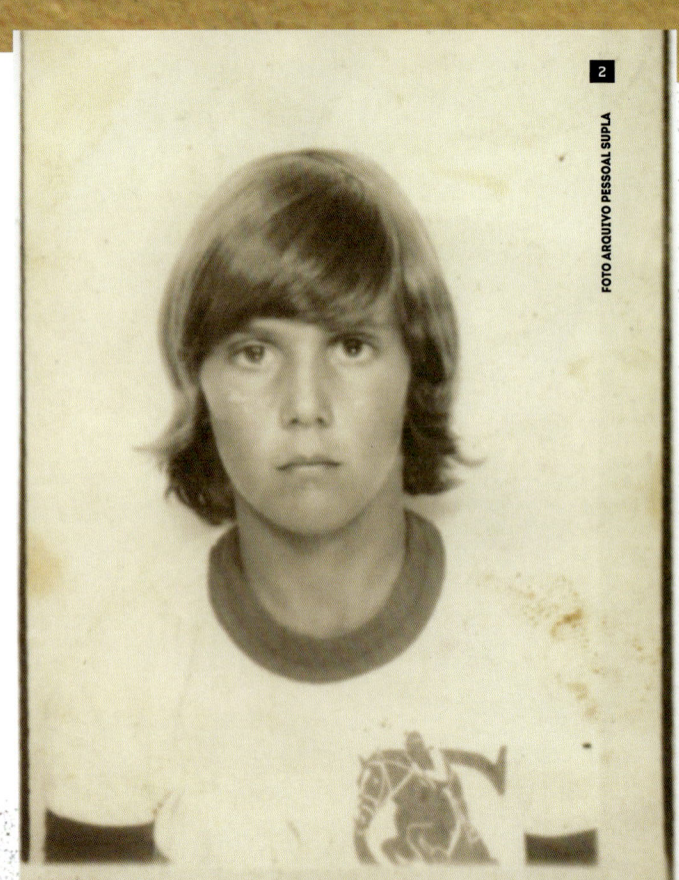

O ANO ERA 1979, eu tinha 13 anos e os melhores cavalos de polo do Brasil! Quer dizer, eu não, mas sim o meu querido avô Luiz Affonso Smith de Vasconcellos, o "Pé de Porco Mão de Onça", o maior entusiasta do esporte aqui em terras tupiniquins e era assim que ele gostava de ser chamado... mas eu o chamava de vôôôô!!! E eu o amava MUITO! Ele me ensinou a cavalgar e todos os truques do jogo em si. Acho que eu poderia ter sido um bom profissional se tivesse levado adiante...

Whatever, na foto logo acima estou taqueando (expressão usada para treinar), montando a égua Água Vermelha. Nesse dia o meu avô tomou uma bolada na cara e quase perdeu a visão, e foi aí que percebi que um esporte tão playboy às vezes pode ser bem violento.

Detalhe para a camiseta de equitação junto com a minha expressão de "coxinha príncipe" nessa foto ao lado!

2

FOTO ARQUIVO PESSOAL SUPLA

1. Supla taqueando montado na égua Água Vermelha, em 1979; 2. "Camisa de equitação e expressão coxinha príncipe", segundo o próprio; 3. Com o Sebastião, o cuidador de cavalos da Chácara Primavera, em Avaré (SP); 4. Recebendo um troféu das mãos do avô Luiz Affonso; 5. Tio Zizio, avô Luiz e Supla; 6. Preparando-se para relembrar os velhos tempos; 7. Mostrando que não esqueceu dos truques ensinados pelo avô. Supla taqueando em 2009.

HAWAII, PUERTO RICO E O LSD

1. Supla surfando em Rincon (Porto Rico); 2. O bilhete de embarque para o paraíso das ondas perfeitas; 3. O mar havaiano visto da praia; 4. Da esquerda pra direita: Cinira, Taiu e Supla na areia de Pipeline; 5. Banzai Pipeline; 6. O cineasta porto-riquenho Diego, ex-namorado de sua tia Tete.

Hawaii 83
THE ISLES OF SMILES

CARALHO, o sonho de todo garoto que pega onda! Ir para o Hawaii!!!

Eu realizei esse sonho em 1983. Fui com o meu amigo surfista Cinira. Sentados na areia de Pipeline ao lado de outro grande surfista, o Taiu, naquele exato momento podíamos ver Banzai quebrando. Cabuloso! Passamos o ano novo em Waikiki e de lá embarcamos para Puerto Rico.

No voo de escala, paramos em Los Angeles e tomamos um ácido, daqueles que fazem você bater a nave. Já dentro do avião, a cena era a seguinte: eu e meu amigo fazendo flexões de braço ao lado do banheiro, feito dois lokis. Detalhe: Cinira começou a enfiar na sua sacola todos os whiskys que passavam na bandeja da aeromoça... Depois de ter feito "a rapa", recebemos um aviso pelos alto-falantes, "a polícia espera vocês em solo". Imagine você viajando de LSD e escutar uma parada dessas?!!

A minha tia Tete estava morando em San Juan e ia nos buscar com seu namorado porto-riquenho, o Diego, um cineasta revolucionário. "La unica forma de hacer la revolución es empuñando las armas", ele sempre falava isso! Logo que desembarcamos, policiais de bigodinho e óculos tipo seriado Chips (pareciam clones uns dos outros) nos levaram para uma salinha... De dentro da cela pude ver o namorado da minha tia trocando uma ideia com os policiais, nem sei o que ele falou, só sei que ficou tudo certo. Cinira devolveu as garrafinhas e nós fomos surfar em Rincon!!

E ainda fomos presenteados com um pacote de maconha do meu novo querido tio!! Sou muito agradecido!

FOTOS ARQUIVO PESSOAL SUPLA

LUTA DE CLASSES NO RINGUE

037

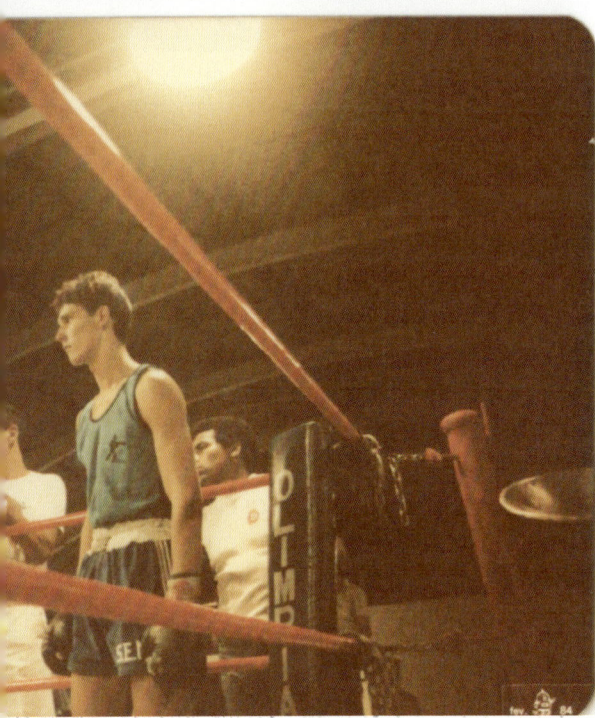

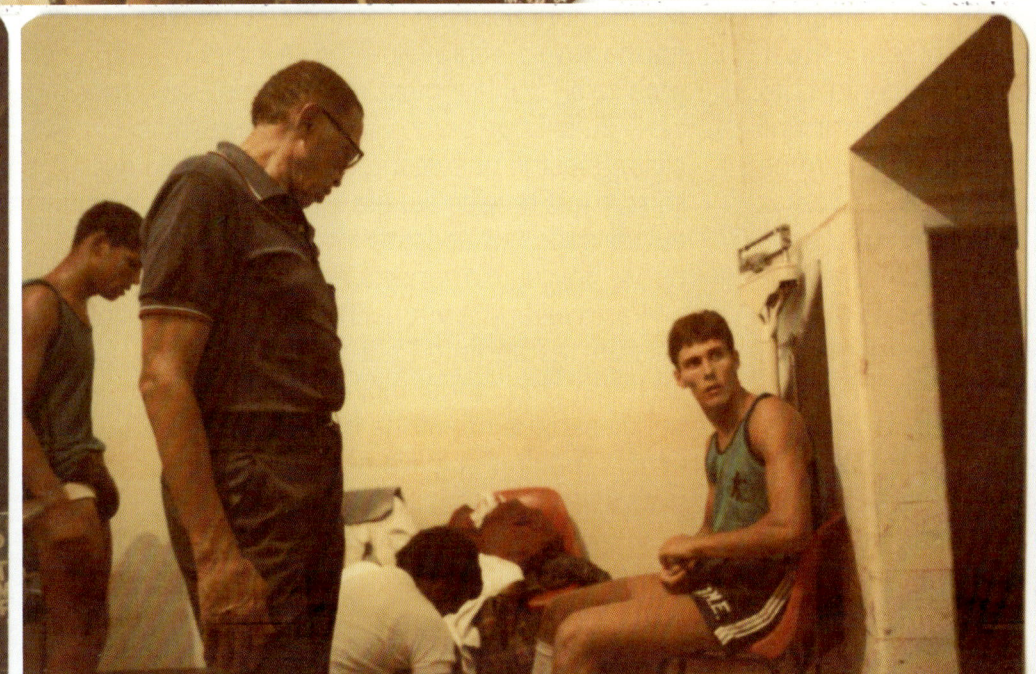

Quinta rodada da "Forja" tem mais 18 lutas. Prometendo emoções.

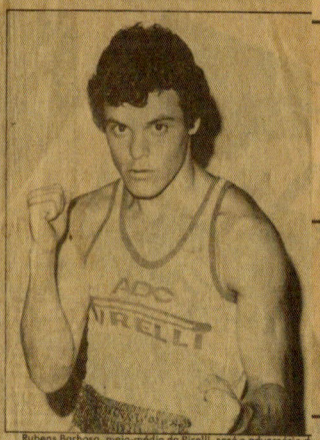

O ANO ERA 1980. Eu tinha 14 anos na época, um garoto em busca de autoafirmação. Eu costumava ir aos jogos do Santos e fazia parte da Torcida Jovem... Certa vez, no Estádio do Morumbi, fui (inconsequentemente) folgar com um corintiano. Eu rasguei a camisa do cara e ele lascou uma porrada na minha cara, que fez sangue explodir para todo lado! E foi exatamente aí que o boxe entrou na minha vida. Percebi que precisava saber me defender. No fundo, eu sabia que essa motivação não era muito positiva, mas acabei aprendendo muito com o esporte. Fui treinar no centro olímpico, um lugar no qual se leva muito a sério o boxe. Lá só podem lutar os que vão competir pra valer.

Eu tomei gosto pelo esporte e treinei firme por alguns anos. Quando eu tinha 17 anos, o meu treinador Luiz Carlos Fabre me chamou de canto e falou: "Você tem talento para estrear na Forja de Campeões, este é o momento! Lute ou saia fora!". Decidi encarar e me preparar. Enquanto meus colegas e oponentes vinham de uma formação mais humilde, eu levava vantagem por ter nascido numa condição social mais favorável. Foi no boxe que aprendi a ter respeito, humildade e saber focar no objetivo, que no caso era treinar muito para não sair com a cara arrebentada do ringue! Porque lá é assim: a criança chora e a mamãe não escuta.

Então, o dia da primeira luta chegou! Eu estava muito nervoso até o toque do primeiro sino! A plateia se dividia entre os meus familiares e amigos, que visivelmente representavam a burguesia de São Paulo, e os fãs de Edvan Aparecido Silva, que eram a maioria no local. Era uma cena de certo modo engraçada, pois acabou literalmente se tornando uma luta de classes. Vale lembrar que o meu pai tinha disputado o mesmo torneio, vinte e dois anos antes... O meu adversário era mais baixo e mais forte, parecia já ter os ossos formados, enquanto eu era meio franzino, mas bem rápido! O cabaço foi quebrado: ganhei a primeira luta! A segunda luta, contra Rubens Barbosa, foi cercada de grande expectativa. Enquanto eu me direcionava para o ringue, escutava coisas do tipo "Vai apanhar, seu filhinho de papai!" ou "Não passa do primeiro round!".

E realmente comecei apanhando... No primeiro intervalo, o meu técnico deu um tapa na minha cara e esbravejou: "Você treinou tanto para isso!? Vai lá e mostre o que você sabe fazer!". Eu sei que parece coisa de filme, mas foi assim mesmo que aconteceu. No segundo assalto, o juiz teve de parar a luta duas vezes, por eu ter dado um nocaute técnico no meu oponente. Saí como o vencedor da luta.

Para celebrar a vitória, fui jantar com o meu pai num restaurante. Pedi um suco de laranja e, ao tomar pelo canudinho, veio um gosto horrível de sangue na minha boca! O meu maxilar estava fudido, não dava para continuar na disputa do torneio.

O boxe pode te deixar sequelado.

a gazeta esportiva

nte e dois anos depois, outro Suplicy a "Forja de Campeões"

O deputado Eduardo Matarazzo Suplicy exultou de contentamento pela vitória do seu filho. E sofreu bastante também

processo não surte efeito, Eduardo evita a carga e sempre procura tocar no contragolpe. E quando soou o gongo, encerrando o cotejo, um alívio incrível domina Eduardo Matarazzo Suplicy.

Para quem entende mesmo de boxe não havia dúvida de que o filho do deputado livrara a margem suficiente para ter o braço erguido pelo árbitro. Nos conceitos técnica e eficiência, Eduardo Smith Vasconcelos Suplicy se impusera diante de Edvan Aparecido da Silva. Mas, quem decide são os jurados. Restava saber como se pronunciariam as papeletas. O árbitro

Reproduções do jornal A Gazeta Esportiva noticiando a edição de 1984 da Forja de Campeões, com destaque para a estreia de Supla na competição.

A vitória foi por unanimidade depois de três ardorosos rounds. O jovem Eduardo voltará

A esquerda de Eduardo. Smith Vasconcelos Suplicy obriga Edvan Aparecido Silva a se cobrir. O filho do deputado mostrou vocação para a prática do boxe, vencendo

VIVENDO O SONHO DO FUTEBOL

FOTO MATEUS MONDINI

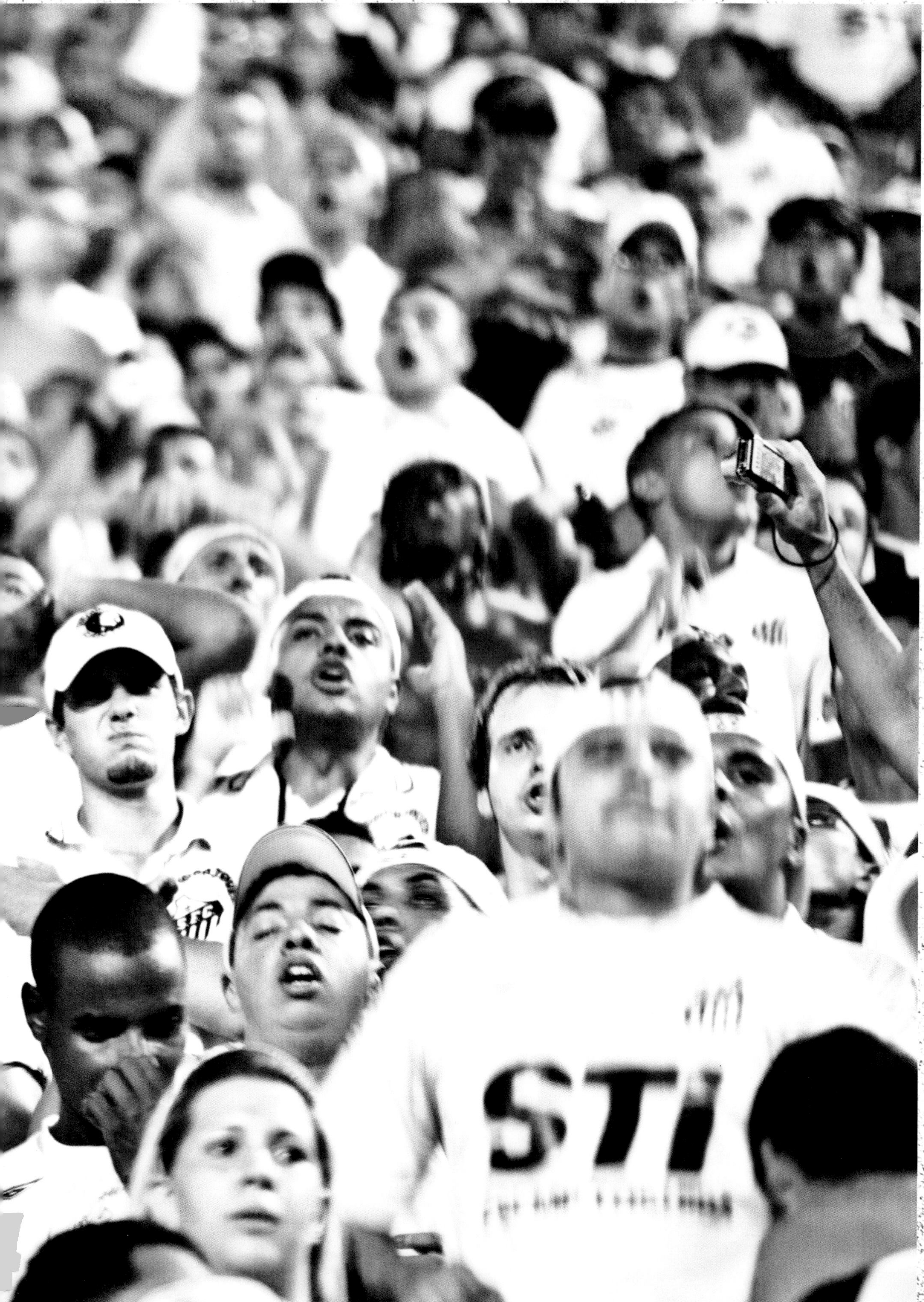

SEMPRE GOSTEI DE FUTEBOL.
Acredito até que poderia ter sido um jogador profissional... Tá bom, vai, quase todo brasileiro acha que poderia ter sido um grande craque!

Com 16 anos, fui jogar um campeonato de futebol na Noruega, chamado Norway Cup. Eu era o capitão do time brasileiro e perdemos na semifinal para a Nigéria. Naquela época, sentia curiosidade de ter uma relação sexual com alguma menina da Escandinávia... sendo assim, fui direto ao ponto com a primeira loira que avistei durante o campeonato: "Ei, você quer transar comigo?". Ela me olhou com cara de espanto e nem respondeu direito. No final do torneio, porém, ela voltou atrás... meu ego ficou inchado, mas nem deu tempo de fazer nada. Imagino que ela também tivesse sentido curiosidade de transar com um latino, sei lá...

Minha relação com a bola continua, especialmente com o meu time do coração, o Santos. Meu avô Paulo Cochrane Suplicy (parte de pai) foi um dos fundadores do clube. Sempre que dá vou aos jogos. A partida inesquecível que vi no estádio foi a final do Brasileirão de 2002, das pedaladas do Robinho pra cima do Rogério do Corinthians. Esse jogo foi marcante! Lembro também de ir com o meu pai para ver a final do paulista de 1973, Santos e Portuguesa, na qual o árbitro Armando Marques errou a contagem dos pênaltis. O Pelé estava em campo! O meu pai sempre fala do Pelé com muita emoção, afirmando que ele realmente era um gênio do futebol. Tenho grande admiração por ele: um negro brasileiro que ensinou o mundo como se joga futebol. Fizemos até uma música com o Brothers chamada "Pelé", que saiu num compacto para a Copa do Mundo, *Come On Over*.

De vez em quando também compareço nos treinos do time para incentivar e já tive o prazer de bater bola na Vila Belmiro, só de brincadeira. Quando você vê o pessoal treinando de

OVER ALLE ENSER

1. O time brasileiro na Norway Cup. Supla é o segundo agachado, da esquerda pra direita; 2. Jornal norueguês noticiando o campeonato. Na foto, Supla é o quinto da esquerda pra direita; 3. A paixão pelo futebol desde a infância; 4. Capa do compacto Come On Over, do Brothers of Brazil, que traz a faixa "Pelé"; 5. Supla, Pelé e João, na casa do Rei no Guarujá (SP).

verdade, percebe que tem que ralar muito para jogar no profissional. É um choque de realidade; a parada é outro nível!

Cheguei a jogar futebol nos EUA na década de 1990. Um colombiano me viu jogando bola na Tompkins Square e me convidou para participar de uma liga semi-profissional. Era o time dos colombianos. Tinha um cachê por jogo; quando eles não faziam o acerto no dia da partida, eu ia receber no Queens, bem ao lado da estação de trem. Era um dinheiro que me ajudava muito no aluguel. Certo dia, num jogo contra um time inglês, nós estávamos ganhando e recebi uma entrada maldosa de um jogador adversário. Destruiu o meu joelho, tive uma lesão do ligamento cruzado anterior e resultou em duas cirurgias. Nessa mesma época, surgiu a oportunidade de abrir os shows dos Ramones no Brasil e disse: "Eu vou nem que seja obrigado a tocar sentado numa cadeira de rodas!"

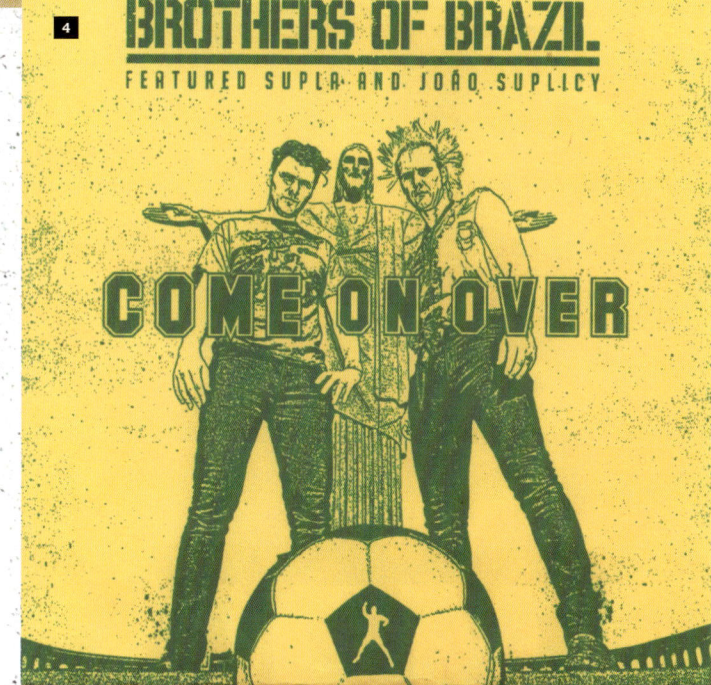

1. "Ensaiando no jardim de casa na Rua Grécia". Da esquerda pra direita: Flavio, Loque, Zique e Supla de costas na bateria; 2. Supla durante um ensaio da banda Os Impossíveis; 3. Zique e Flavio em ação; 4. Flavio Martins Figueiredo (in memoriam).

OS IMPOSSÍVEIS

ESSA FOI A MINHA PRIMEIRA BANDA de verdade! Fazíamos shows no Harmonia em São Paulo, no clube de tênis em Campos do Jordão (SP), em festas de aniversário e em vários bares da Pauliceia.

Eu tinha 13 anos e já sabia tocar bateria e cantar ao mesmo tempo, o que no futuro me ajudou para fazer o Brothers of Brazil com o meu irmão João. O vocal principal d'Os Impossíveis se chamava Flavio Martins Figueiredo. Ele era o meu melhor amigo! Nos conhecemos assim que voltei dos EUA, pois ele morava de frente para a casa dos meus avós. Antes de montarmos a banda, jogávamos futebol e éramos fanáticos pelo Santos e pelos Beatles! O Flavio já arrepiava no violão e fui muito influenciado por ele.

Montei a minha primeira bateria com uma cadeira de couro (ótima para se marcar a batida) e tampas de sorvete da Kibon perfuradas com pregos para dar um som de prato no estilo chuveiro de jazz! Aprendi a tocar basicamente escutando os discos, por horas e horas, e reproduzindo os movimentos na frente do espelho, tocando em cima da música. Os vinis rolavam em volume altíssimo e todos em casa eram obrigados a escutar! E ninguém reclamava! Com o passar do tempo, meus pais perceberam que era sério e me presentearam com uma bateria semi-profissional, e mais adiante com uma bateria de verdade! Isso permitiu que eu saísse por aí fazendo os meus primeiros shows.

A banda Os Impossíveis era formada por: Zique (guitarra solo), Loque (baixo), Flavio (guitarra/vocal) e eu na bateria.

Lembro-me como se fosse hoje: estava no carro e escutei o radialista dizer que John Lennon tinha sido assassinado à queima roupa em frente ao Dakota! Foi muito triste e logo em seguida tocou "(Just Like) Starting Over". Na época, havia diversas bandas na cidade que tocavam Beatles, e Os Impossíveis também iriam prestar a sua homenagem com um show na danceteria Apple, que ficava atrás do Shopping Ibirapuera. O nosso show estava prestes a começar e o juizado de menores apareceu do nada! Eu tinha apenas 14 anos e o juizado não queria deixar a banda se apresentar... Chorei, esperneei e acabei conseguindo! O oficial foi embora e o dono do local (super gente fina) liberou! A casa estava cheia e foi um momento emocionante para se dividir com as pessoas: compartilhar todo o carinho e o amor que sentíamos pelo John Lennon.

No fim das contas, acabei me distanciando do Flavio, que casou muito cedo e teve uma filha chamada Flora. Ele estava muito feliz pelo meu sucesso com o Tokyo. Então, de repente, ele faleceu num desastre de carro... Foi a primeira vez que pude sentir a dor de perder um verdadeiro amigo. Apesar de não estarmos mais tão próximos como antes, eu o amava. Ele era como um anjo...

Sei que é uma história triste, mas guardo tudo isso com muito carinho.

Eu tive um sonho uma vez: nele, o meu amigo Flavio encontrou John Lennon e George Harrison lá em cima! Foi um sonho bom.

PRIMEIRA VEZ NO ESTÚDIO

1. Pela primeira vez num estúdio, em 1984; 2. A banda Metrópolis. Da esquerda pra direita: Paulo (guitarra), Rodrigo (vocal/guitarra), Supla (bateria) e Pinho (baixo); 3. O Metrópolis no estúdio. Supla, Rodrigo, Pinho e Paulo. A demo-tape gravada nessas sessões nunca foi lançada.

FOI POR VOLTA DE 1984 que entrei pela primeira vez num estúdio, para gravar uma demo-tape tocando bateria com o Metrópolis. A banda era formada por Pinho no baixo, Paulo Monteiro na guitarra e Rodrigo Andrade no vocal/guitarra, o autor da famosa "Garota de Berlim"! Paulo e Rodrigo também eram pintores e faziam parte do coletivo de arte Casa 7.

Éramos iniciantes e estávamos cheios de energia, executando as canções com um andamento um pouco mais rápido do que o normal. Essa gravação foi produzida pelo Miguel Barella (Voluntários da Pátria), mas nunca foi lançada. Uma pena, pois trazia ótimas músicas.

O Metrópolis estava sempre se apresentando no underground paulistano, ao lado de bandas como Mercenárias e Fellini. O Capital Inicial chegou a abrir um dos nossos shows no Lira Paulistana. O som era meio cru, com uma batida rápida acompanhada de ótimas letras e melodias. Os integrantes tocavam seus instrumentos de uma forma original, afinal não éramos músicos de conservatório. Fui muito influenciado pelo Rodrigo em como fazer canções em português no ritmo de rock.

Nessa época também recebi o convite para entrar como vocalista na banda Zig-Zag, que depois virou Tokyo e sempre incluía "Garota de Berlim" no repertório. A real é que fui gostando de ser vocalista e acabei deixando o Metrópolis. Acredito que a gangue da Casa 7 e o Pinho também foram se distanciando, devido a outros interesses... De todo modo, sou muito grato ao Rodrigo pelo sucesso que a sua canção virou! Ela é mágica! Até o Glen Matlock (Sex Pistols) cantou o seu refrão no Rock in Rio!!! "Linda Garota de Berlim!"

MINHA MÃO DIREITA

049

MÃO DIREITA
HUMANOS

EM 1985, quando o Tokyo começou, nós lançamos um compacto pela Som Livre com duas músicas, "Humanos" e "Mão Direita". Essa última foi censurada, mesmo após o fim do regime militar no Governo Sarney.

A música foi composta por Rogério Naccache e Dagomir Marquezi para a peça de teatro "Papai & Mamãe: conversando sobre sexo", escrita por minha mãe em parceria com o Mario Prata. A letra falava sobre masturbação. Eu escutei essa música numa fitinha, e achei que tinha tudo a ver com a gente, pois éramos adolescentes e era uma coisa que estávamos vivendo. Eu queria cantar sobre coisas que tivessem significado para mim.

Era uma música muito divertida de se cantar, na performance eu gesticulava tipo batendo uma e causava um certo incômodo nos mais moralistas. Apesar de não ter tocado no rádio, "Mão Direita" era uma música *esperada* pelo público. Tinha gente que ia ao show para ver essa performance.

"Vou levá-la comigo pra jantar / Ela merece por alegrias que me dá / Ela é o consolo da minha solidão / Eu tenho a felicidade na palma da minha mão / Minha mão direita."

Nessa época nós começamos a construir o público do Tokyo. Na minha visão, tem muito a ver com o fato de que eu estudei em várias escolas e conhecia muita gente. Eu era muito popular. Isso sem contar que os outros integrantes da banda também tinham os seus amigos. Então muita gente começou a aparecer nos shows, e as pessoas gostavam de escutar letras com as quais pudessem se identificar. Além do som e da forma de se vestir, claro. Era tudo isso junto: música, estilo e letra.

1. Capa do compacto "Mão Direita" / "Humanos", lançado em 1985 pela Som Livre; 2. Show do Tokyo no Caiçara Music Hall, em Santos (SP); 3. Contracapa do compacto.

FOTOS MUJICA

ESSES HUMANOS

Making of do clipe de "Humanos" (1986), da banda Tokyo. O clipe foi filmado no extinto Presídio do Hipódromo, em São Paulo.

EM 1986, quando surgiu a febre do videoclipe no Brasil, achei interessantíssimo como ferramenta. Era mais uma forma de se comunicar através da música, na qual era possível incorporar elementos visuais e contar histórias como num curta.

Eu lembro bem do primeiro clipe do Tokyo, da música "Humanos", dirigido por Valéria Burgos. Eu estava vestindo um terno rosa e lutava boxe com detentos do Presídio do Hipódromo; na minha visão, deu um contraste louco! O impacto da cena era mandar uma mensagem de quem está na prisão lutando para não ser controlado. Mas aí vai da cabeça do espectador... ele absorve como quiser.

"Esses humanos que circulam / pela cidade aí afora / eu não aguento eles querem me conquistar / eu não aguento eles querem me controlar."

Ao chegarmos no presídio para filmar, alguns presos mudaram de ideia e não quiseram mais participar. A sorte é que um deles me reconheceu da Torcida Jovem do Santos e comentou com os outros: "O cara não é bunda mole, pode filmar". Isso salvou - e eu agradeci.

Nesse mesmo dia, um dos presos cortou os pulsos para chamar a atenção da mídia e das autoridades. Foi triste...

Esses humanos!!!

FOLHA DE S.PAULO — Sábado, 18 de janeiro de 1986

Tokyo, o rock em berço dourado

Os cinco garotos formaram o conjunto há um ano e já estão lançando o seu primeiro LP, trazendo canções 'inconformistas' e convidados como Cauby e Nina Hagen

LUÍS ANTÔNIO GIRON
Crítico da Folha

TOKYO – LP de estréia do grupo liderado pelo Supla. Participações especiais de Cauby Peixoto, Nina Hagen e Luis Carlos Maluly. Lançamento CBS.

O primeiro LP do grupo Tokyo já está nas lojas de disco. A produção é bem cuidada, realizada por Luiz Carlos Maluly, ótimas fotos e disco gravado em bons estúdios de 24 canais de São Paulo. Antes mesmo de ser ouvido, o grupo liderado pelo Supla já era falado, comentado, desejado. Não faz mais de um ano que Tokyo nasceu, no momento de iluminação em que os irmãos Bidi e Rocco convidaram seus vizinhos, o Supla e o Marcelo, para fundar uma banda com um som "único, original" (Andrés, amigo de Marcelo, entrou depois). E quanto furor e inquietação este lançamento não causou nos corações de outros pais políticos! Tokyo...

O que se percebe sob um nome tão deliberadamente "exótico", tão "in" ou evocador do clima póstumo, que vigora no mundo do show business desenvolvido? Que será Tokyo, um grupo que instaure novas ordens estéticas, modos inauditos de se encarar a transgressão? O nome misterioso (entre aspas) encima a foto envesada do quinteto de roqueiro. O ângulo assimétrico da foto dá a entender que se trata de jovens contemporâneos, dandizados ao externo, olhares tensos.

Mas tudo não passa da capa. À medida que você vai ouvindo as dez faixas do LP, toda a fragilidade do som que o grupo pratica fica exposta. Não adianta as presenças "pitorescas" de Cauby Peixoto (dividindo a interpretação de "Romântica" com o Supla) e a ruída Nina Hagen (que chega a grunhir em português "Linda Garota de Berlim"). E nem a batida regrada da bateria de Rogério Bidlovski, verdadeira "drum machine" humana, é capaz de ocultar que, sob o rótulo e uma "pretensão de", nada se oculta. Os cinco rapazes (além da bateria, a voz de Supla, teclados a cargo de Marcelo Uchoa, Eduardo Bidlovski à guitarra e baixo de Andrés Etcheni-

que) vieram para protestar o inconformismo pode ser praticado nos jardins das mansões burguesas com todo o sucesso, desde que este inconformismo venha temperado com as vestimentas da moda. É o próprio baixista da banda, Andrés, que tece argumentos em torno desta revolta de quintal: "Antigamente o rock era usado sempre na segunda intenção. Hoje o rock permite que o músico seja tão poderoso financeira e socialmente quanto um industrial bem sucedido. O rock deixou de ser um detalhe para se tornar uma característica da sociedade".

É verdade. Pelo menos no grupo Tokyo, o rock não tem segundas intenções; seu fim, o lucro. É claro como um descaire à luz do sol. A começar pela interpretação do Supla. A voz dele possui um timbre sem vida, fato que não se compensa pela interpretação; esta mantém vínculos trouxos com as composições. Parece um Ritchie passando maus pedaços durante sua adolescência. As músicas não passam de carcaças de citações cobertas por um traje brilhoso de aspecto "pós-modernhho". As letras, quase todas assinadas por Supla, vegetam no interior dessas carcaças: temas simplórios para...

O perfil dos integrantes do conjunto

Ao contrário de boa parte das bandas de rock, formadas em garagens da periferia ou em modestos apartamentos da classe média, com jovens músicos quase sempre "a perigo" em termos financeiros, a Tokyo é formada por roqueiros de berço e vida folgada. Confira o miniperfil de cada um dos cinco rapazes da banda:

Eduardo Smith de Vasconcelos Suplicy, 19. Conhecido por Supla, é o mais famoso da turma. É o vocalista da banda. Já foi capa de revista e assunto de jornais. É filho do deputado federal Eduardo Matarazzo Suplicy (PT-SP) — candidato derrotado à prefeitura de São Paulo — e da socióloga e colunista da Folha Marta Suplicy. Bonitão, com ares germânicos, Supla além de cantar rock gosta de praticar esportes. Como seu pai, é amante do box. Já foi também surfista, chegando a participar de torneios no Havaí. Seu sonho: "ter dinheiro suficiente para comprar tudo o que quiser". Não deve faltar muito.

Eduardo Bidlovski, 19. Conhecido por Bidi. Sua rotina de vida é simples: faz natação pela manhã, ensaia à tarde e à noite encontra os amigos. Bidi se diz chegado a paixões violentas, nem sempre bem sucedidas. A última delas certo, mas ele fez uma viagem a Londres e na volta já havia "mudado de idéia". Seus sonhos são tão elementares quanto sua existência: pretende casar, ter muitos filhos e ser feliz para sempre. É guitarrista.

Rogério Bidlovski, 17. É irmão de Bidi. Não fala, ou o faz muito esporadicamente. Não bebe. Gostou muito de ter tocado com Nina Hagen— que participa do LP. Gostou mais ainda porque a gravação com a cantora alemã foi no dia do aniversário dele. Toca bateria. Consegue assoviar ao mesmo tempo.

Andrés Etchenique, 19. Perdeu o pai quando tinha 10 anos. Foi para a Inglaterra onde estudou num internato. Depois foi para os EUA, onde cursou a Escola Militar, por dois anos. Ainda nos EUA, gostava de ir a Nova York nos finais de semana "para barbarizar". É religioso e vai à missa todos os domingos. Toca baixo elétrico.

Marcelo Uchoa Zarvos, 16. Conhecido como Marcelo Z. Garante que teve uma infância "superfeliz". Gosta de praticar pólo aquático e satisfaz-se com o fato de ser descendente de gregos. "Não tenho muito o que dizer", não esconde Z. Toca teclados. (MAG)

Marcelo, Eduardo, Andrés, Rogério e Supla compõem o quinteto Tokyo, que prefere a disciplina ao risco e o amor romântico ao carnal

um público que se deixa engan[ar]... Assim, esta soma do já o[uvido], o simplório fazem de[sse] disco adentro, assuntos co[mo] "Triste" e a masturbação ("[Mão Direita"), a garota de berlim ("quem é quero me enco[n]trar"("Garota de Berlim"), os p[ais] que controlam seus filhos ("[Meus manos"), aliás a música mel[hor] desinteressante], a mulher que [se] procura ("Romântica"), as [can]ções do ano ("Estações"). [Além] de tudo, o Tokyo faz Arte". [diz] Supla. Só se "Arte" for obra [de] arteiros, amantes das fulgura[ntes] embalagens. Supla ainda come[nta:] "Quem vê Nina Hagen pensa [que] ela é uma E.T. Ou quem assi[ste a] Ozzy Osbourne pensa que ele [é um] louco. Mas não são. Ele é a[bsolutamente] normal, com filhos e família es[tru]turada. Agora, na hora de p[alco] que ele faz é Arte". Sem co[mentá]rios.

Aliás, o encarte do disco [é uma] atração autônoma. Há até le[tras] para o conjunto: um agra[do aos] prédios em pleno incênd[io], [com] chamas bem simétricas, [em at]mosfera apocalíptica (desca[ro]). Ali os membros do Tokyo m[anifes]tam suas opiniões. A certa alt[ura] alguém escreveu: "Este disc[o é] assim. Quando você chega ao f[inal] do lado um, quer virar para [o lado] dois. Depois, quer ouvir tud[o de] novo. Com a gente isso acon[tece] toda hora...". Ainda bem qu[e o] narcisismo é assumido sem ve[rgo]nha alguma. Certamente esta [não] será a vontade da maioria [dos] (in)felizes compradores do disc[o do] Tokyo.

Quem quiser cair no conto, c[aia.] Talvez este disco venda m[ais,] mais um entre tantos dos proliferantes do rockinho nacio[nal.] Tokyo é um dos mais, nada m[ais,] nada nem de nada. Profundo c[omo] alguém que veste uma grife j[apo]nesa e se exibe feito pavão n[uma] festa. As lebres do Tokyo pa[ssam] por gatos. Como eles, exis[tem] muitos. Mas não deixa de [ser] engraçado contemplar lebres [satis]feitas consigo mesmas. A his[tória] se encarregará delas.

A opinião d[os] outros filhos de candidatos

As rusgas e inimizades existentes entre os pais nem sempre são compartilhadas pelos filhos: a t[ro]ca de acusações e os diálogo[s ás]peros que marcaram a cam[pa]nha pela prefeitura de São Pa[ulo] não serão empecilhos para que [os] filhos do candidato derrotado [do] PMDB, Fernando Henrique Car[do]so, e do vitorioso prefeito Já[nio] Quadros comprem no prato de s[uas] vitrolas o LP estreiando pelo filho [do] também derrotado candidato [do] PT, Eduardo Matarazzo Su[plicy.] Supla será, seguramente, ouvi[do] pelos filhos e até pelos netos [dos] mais fortes rivais de seu pai.

Punk chique

"Simpatizo muito com o roc[k",] diz Dirce Quadros, 42, filha [do] prefeito de São Paulo. Mãe de s[eis] filhos — entre 24 e oito anos — Tu[ca,] como é conhecida na família, [já] está habituada a conviver com [a] estridência das guitarras elétri[cas.] "Naturalmente meus filhos co[m]prarão o LP do Supla", pre[vê.] Sobre o visual "punk-chique" c[ul]tivado pelo cantor, Tutu diz [ser] "um problema democrático". P[es]soalmente não se sente atraí[da,] mas afirma que também não [se] sente incomodada. "Se ele se se[nte] bem e quer andar assim, que [ele] ande", diz.

Paulo Henrique Cardoso, 31, f[ilho] do senador Fernando Henrique, [diz] conhecer Supla "desde peque[no".] Mesmo sem ter escutado — c[om] quase todos — a música do fil[ho,] Eduardo, assegura estar dispo[sto a] comprar o LP. Paulo Henri[que —] que é um dos diretores [da] produtora Intervideo, responsá[vel,] entre outros, pelo programa C[o]nexão Internacional" exi[bido] mensalmente pela TV Manch[ete —] não dá muita importância à im[a]gem criada por Supla. "O im[por]tante é que ele cante bem", [diz.] "Se for de fato bom cantor, [pode] fazer a imagem que quiser, [até] usar cueca samba-canção".

'Não sei quem é'

Se entre os filhos dos maio[res] rivais de seu pai Supla tem b[oa] acolhida, isto já não aconte[ce] quando a família é de um adver[sá]rio de menor força, como a [do] candidato Pedro Geraldo Costa, [do] Partido do Povo Brasileiro. Fra[n]cisco Reinaldo, 26, filho de Pe[dro] Geraldo, simplesmente "não s[abe] quem é Supla. "Logo após [a] campanha tirei férias e fui viaja[r,] não li jornais e não conhec[o o] rapaz", explica. (MAG)

Reprodução do jornal Folha de S.Paulo, edição do dia 18 de janeiro de 1986.

FOLHA DE SÃO PAULO DETONANDO O TOKYO

FOLHA DE SÃO PAULO, osso duro de roer esse jornal... Mas eu sou viciadinho num jornal, deve ser um costume adquirido por causa da influência dos meus pais. Sempre tivemos vários jornais à disposição em casa (O Globo, JB, Estadão, Jornal da Tarde), mas a Folha teve um destaque maior, talvez pelo fato de que os meus pais já publicaram artigos nela, e também porque eles eram amigos do Cláudio Abramo, falecido editor da Folha.

Em 1986, a minha banda Tokyo já estava fazendo sucesso nas danceterias da época e sempre éramos notícia na coluna social "Ronda dos Nats", escrita por Tavares de Miranda, antes de Joyce Pascowitch e Mônica Bergamo. Quando saiu a crítica do disco no jornal, eu não acreditei, fiquei revoltado com o Luis Antônio Giron (jornalista que assinou a matéria). Ele simplesmente dedicou uma página inteira para falar mal da gente, muito em função do fato de que éramos de classe média alta, como se o nosso sucesso se devesse a nossa classe social, o que era uma mentira, pois trabalhamos duro para conquistar um público nas danceterias de São Paulo. Nós só conseguimos um contrato com a gravadora (CBS) depois de fazer muito barulho.

Hoje eu choro de rir quando leio o texto, pois ele foi muito bem escrito. Nós ainda éramos muito inocentes e acabamos escrevendo um release (a pedido da gravadora) contando como era o nosso dia a dia. Na nossa ingenuidade, elaboramos um texto que mostrava como era o cotidiano de garotos que estudavam e faziam um som... Naquela época, ninguém da banda tinha que trabalhar e pagar as contas, então o jornalista se aproveitou e tirou o maior sarro, com zoações do tipo "seus sonhos são tão elementares como a sua existência", passando a imagem de que éramos completamente imbecis (desculpa, não éramos). A banda era boa e inovou no som para a época, tanto no cuidado com a produção do shows quanto na atitude no palco.

No final da matéria, ele falou que o tempo ia se encarregar da gente... Bom, a resposta tá aí... O tecladista Marcelo Zarvos tinha apenas 16 anos na época e hoje faz trilha sonora para cinema, inclusive para um filme ("O Bom Pastor") dirigido pelo Robert de Niro; o guitarrista Eduardo Bidi (hoje conhecido como BiD) foi o fundador da banda Funk Como Le Gusta e produziu os clássicos Afrociberdelia e CSNZ da Nação Zumbi, além de dezenas de outros discos e trilhas; Rocco, irmão do BiD, segue tocando bateria até hoje; o baixista Andrés foi o único do grupo que mudou de profissão. E eu estou aqui, contando essa história pra você!!! Hahaha! Comemorando 30 anos de carreira e sucesso!

Essa é a melhor resposta para o meu caro jornalista! Beijo!

FOTO BOB GRUEN

NINA HAGEN, A GAROTA DE BERLIM

1. Encontro em Nova York: Supla e Nina Hagen na boate Life, em 1998; 2. Registros do dia em que Supla conheceu a cantora alemã, no estúdio Transamérica em São Paulo. "Ela estava linda... linda garota de Berlim".

EU JÁ TINHA VISTO A CANTORA ALEMÃ no primeiro Rock in Rio (1985). Ela era chamada de "a mãe do punk"! Mas não a conhecia pessoalmente, só tinha visto na televisão mesmo, com aquela boca sensual, olhos grandes, cabelo cor de rosa e roupa colada.

A Nina Hagen cantava muito, misturando canto lírico com rock. A música "Garota de Berlim" caiu como uma luva para cantarmos juntos! Aqui no Brasil, nós éramos da mesma gravadora. Marcos Maynard, na época diretor artístico da CBS, fez o contato para viabilizar essa participação da Nina na canção do Tokyo, que faria parte do nosso primeiro disco, de 1985.

Quando começamos a gravar, eu já tinha meio que planejado em qual parte ela ia cantar e dar os seus berros! Por exemplo, tem um momento que ela diz na música "Sou eu!", com aquele português maluco... Foi tudo muito rápido e mágico. Nesse mesmo dia, logo após a gravação, nós fomos comer comida japonesa na Liberdade (bairro paulistano) e ainda no caminho para o restaurante rolou... Não resistimos e demos um beijo punk, no bom sentido! Os punks também amam! Nossa, que beijo sabor tutti frutti! Eu estava muito feliz por ter gravado com ela e ainda por cima tê-la beijado!

Depois de lançada, a música "Garota de Berlim" foi um estouro! Era um rock animado que fazia todo mundo dançar. Além disso, gerou uma histeria ver um artista nacional cantando com uma estrela internacional.

Nós tivemos um rápido romance. Eu tinha 19 anos e ainda morava com o meu avô. Certo dia, ela foi me visitar... Lembro-me de estar no meu quarto com ela, e lancei a pergunta: "Quando você for mais velha, o que vai fazer?". E ela respondeu "vou continuar sendo cantora de rock". Isso me inspirou...

Em uma outra oportunidade, fui para Los Angeles encontrá-la. Ela me apanhou no aeroporto LAX de limousine e fomos comer sushi na Sunset Boulevard com sua amiga Angelyne[1], uma loira peituda que tinha carro rosa, roupa rosa, casa pintada de rosa por dentro e por fora e até os peixes no aquário dela eram cor de rosa...

Nessa viagem, pude ver vários outdoors da Angelyne espalhados pela cidade, com sua foto fazendo pose de atriz dos anos 1940! Sensacional! Eu me diverti muito, parecia que estava no paraíso! Ah, e eu ainda joguei basquete na Fairfax com o Flea, baixista dos Chili Peppers, pois a Nina era amiga dele.

Uma viagem inesquecível!

---

1 Angelyne é uma atriz, modelo e cantora norte-americana. Sua fama, no entanto, não é fruto direto do seu talento, mas sim um resultado de uma ação promocional iniciada nos anos 1980, em Los Angeles, que espalhou a imagem de Angelyne em enormes outdoors por toda a cidade. O que ela estava promovendo? Ela mesma. A campanha gerou curiosidade da mídia e Angelyne rapidamente se converteu numa pseudo-celebridade, cujo atrativo principal não era sua música, e sim os seus enigmáticos outdoors. Tornou-se um ícone pop estranho de Hollywood. Seus outdoors já apareceram em episódios dos Simpsons, Futurama e, mais recentemente, em BoJack Horseman.

ROUPA X

O Tokyo no palco do Projeto SP, tocando a música "Roupa X". Nesse show, a plateia colaborou na performance e arrancou a roupa de Supla.

DESDE CRIANÇA EU SOU LIGADO AO VISUAL. Sempre gostei de coisas coloridas... Na minha infância nos EUA, meu livro favorito era *Dr. Seuss*, um desenho super colorido! E o lance do visual foi crescendo junto comigo: o cabelo parafinado do surf, o corte tigela dos Beatles e finalmente o cabelo espetado do punk.

"Todos ficam a se olhar, dentro de suas roupas X"... Este é um trecho da música "Roupa X", do primeiro álbum do Tokyo. Eu lembro que em clubes como Rose Bom Bom ou Radar Tantã as pessoas ficavam se olhando e comentando "Olha o visual daquela menina" ou "Olha a roupa daquele menino". E sempre fiquei inconformado com a atitude de te julgarem por aquilo que você esta usando... Para mim, a roupa é uma forma de expressão, de estilo de vida. Se você não tem a liberdade de vestir o que você quer, você não tem a liberdade de ser quem você é.

Em alguns shows do Tokyo, na hora de cantar "Roupa X", eu tirava a roupa e saía só de sunga, para ilustrar a minha mensagem. Tipo foda-se o que você está usando. Porém, especificamente nesse show das fotos (no Projeto SP), eu não precisei tirar a roupa: a plateia tirou por mim!!! Desci do palco, me aproximei do público e a galera rasgou minha roupa. Não deu nem pra fazer a performance direito!

"Roupa X" era um som bem new wave, cheio de programações. O Marcelo Zarvos (Tokyo) tinha 16 anos na época, mas era um cara muito antenado musicalmente. Ele sabia tudo o que estava acontecendo em relação a teclados. E essa era uma grande vantagem do Tokyo.

Gallery AROUND

SÃO PAULO • AGOSTO 85 • 12.000

NOVA BOSSA

BOSSA NOVA
QUADRINHOS
A BOSSA, HOJE
WEEK END EM BRAGA
ROLLING
SUPLA E JOÃO

1. A primeira capa a gente nunca esquece. Revista Around, agosto de 1985; 2 e 3. Making of do clipe de "Metralhar até morrer", do Tokyo. A roupa de Super-Supla fazia referência à relação do artista com a mídia.

MINHA PRIMEIRA CAPA DE REVISTA

ESTA FOI A MINHA primeira capa de revista, em 1985.

O escritor e jornalista Antônio Bivar estava fazendo uma matéria sobre as bandas e a noite de São Paulo para a revista *Around*, que era uma publicação que abordava os acontecimentos sociais e artísticos da época. Eu já era uma figura conhecida na cena, marcava presença em boates como Rose Bom Bom, Anny 44, Pool Music Hall (do Zé Victor Oliva), Madame Satã, entre outras. O pessoal da revista acabou juntando as coisas: vocalista do Tokyo, sobrenome tipo conhecido, e por isso decidiram me colocar na capa.

A verdade é que tive de lidar com a superexposição na mídia logo no começo da minha carreira, depois de cantar com a Nina Hagen, Cauby Peixoto, clipe no Fantástico, várias aparições no Chacrinha etc. E percebi desde então o que a mídia faz com o artista: ela te mastiga e depois cospe. Por causa disso, fiz a roupa do Super-Supla, que aparece no clipe da música "Metralhar e não morrer", do segundo disco do Tokyo (*O Outro Lado*, 1987). A letra dizia: "Eles querem nos sugar sem parar / Querem metralhar e não morrer / Você fica preocupado, veste o personagem, segue a sua imagem, vive a ilusão, ilusão / Quem é o próximo, eu não sei, eles vão inventar / Se perguntarem por você, diga a eles que não, que não / Metralhar, metralhar, metralhar / E não morrer".

Durante minha carreira fui bastante metralhado pela mídia, e não morri.

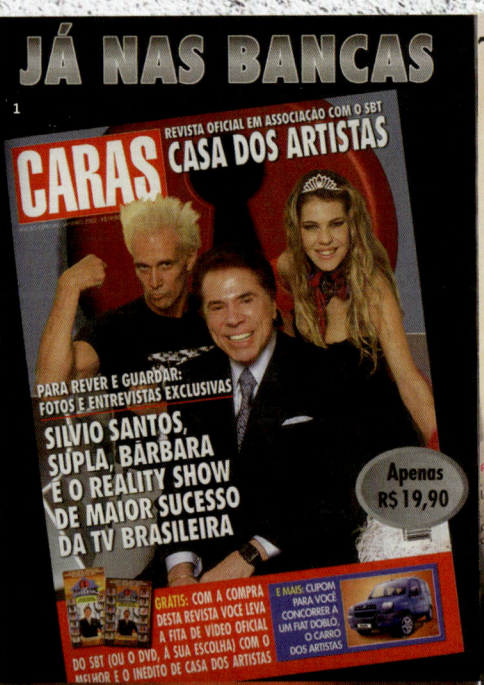

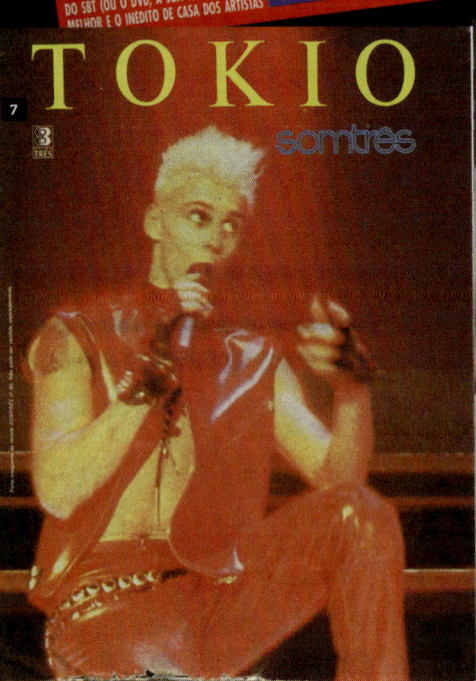

Ao longo de sua carreira, Supla já foi muito enfocado pela mídia impressa. Eis uma amostra de algumas capas e matérias com o Papito.

1. Anúncio da edição especial da revista Caras; 2. Supla nu na TPM, edição 8, fevereiro de 2002; 3. IstoÉ Gente, edição 121, 26 de novembro de 2001; 4. O Papito na capa da Mad, ao lado do "Harry Podre", em 2001; 5. Revista-pôster que acompanhava o CD *Político e Pirata* (2002); 6. Capa da revista Herói.com.br especial, da Conrad; 7. Encarte da revista Somtrês edição 93, com a grafia errada do nome Tokyo; 8. Supla e Fabiana Kherlakian na capa da edição 30 da Trip; 9. Revista-pôster *O Charada Brasileiro* (2001), que vendeu mais de 700 mil exemplares nas bancas; 10. Revista IstoÉ, edição 1678, de 28 de novembro de 2001; 11. Encarte da revista Overall edição 16; 12. Revista Chiques e Famosos, edição 139; 13. Na capa da Caras, edição 427; 14. Na ilha de Caras, com camiseta da banda de hardcore Warzone; 15. Capa da revista Transamérica, em 2002; 16. Capa da edição 41 da revista Trip; 17. Pai e filho na capa da Quem Acontece, em janeiro de 2002.

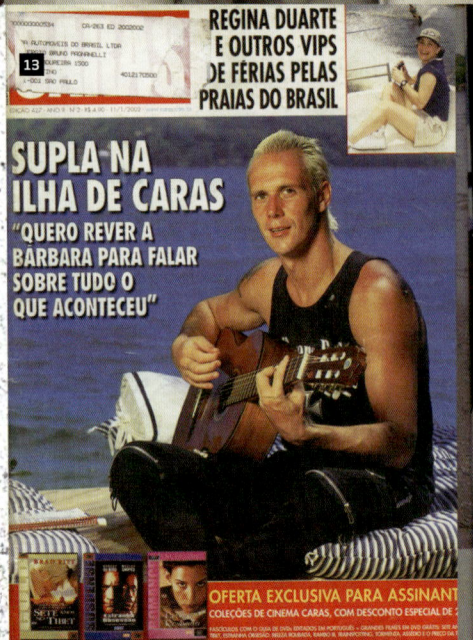

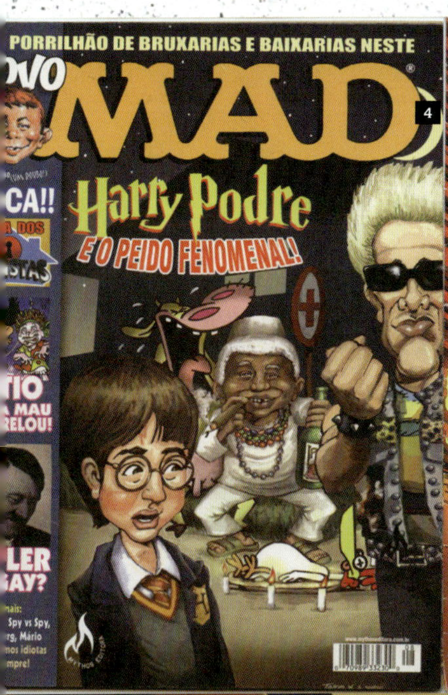

4

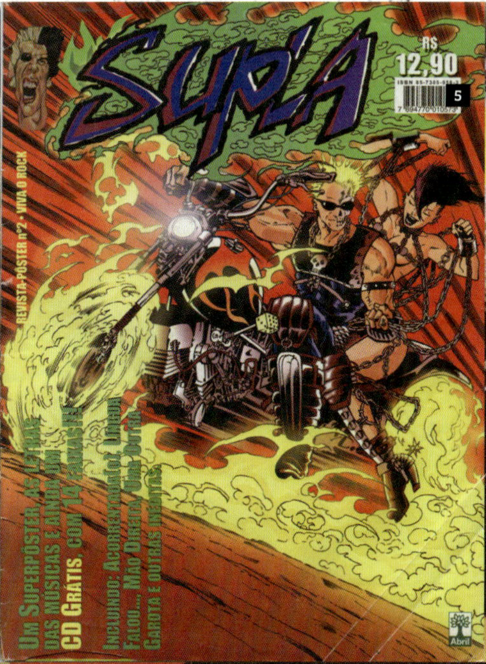

5

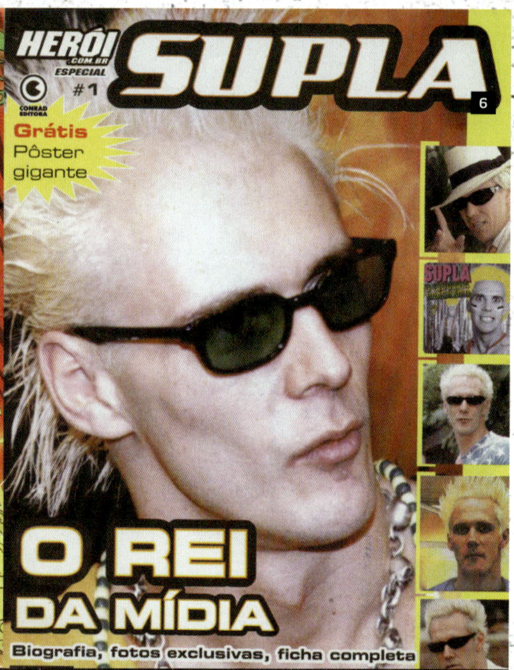

6

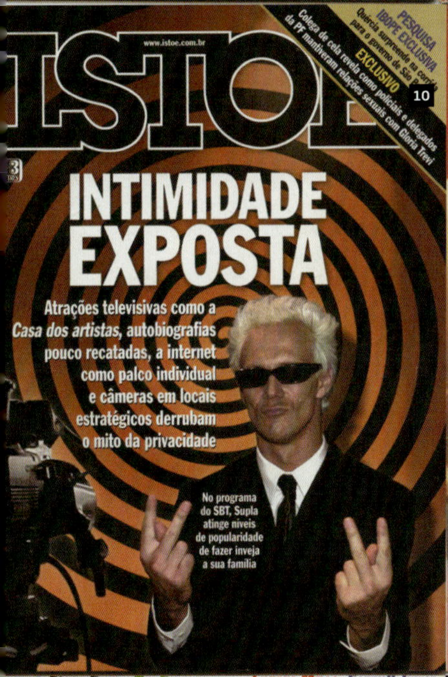

10

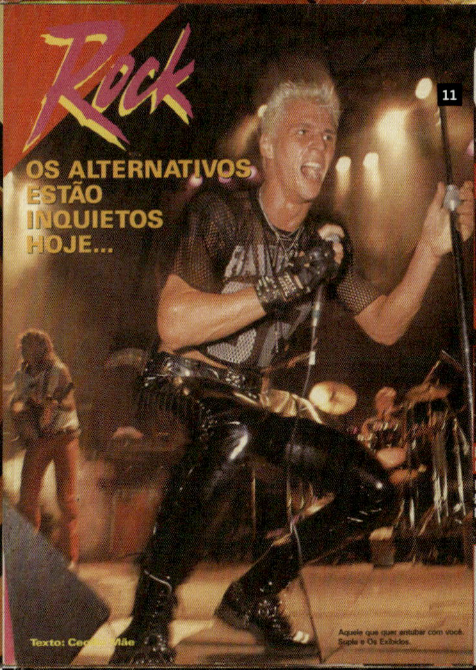

11

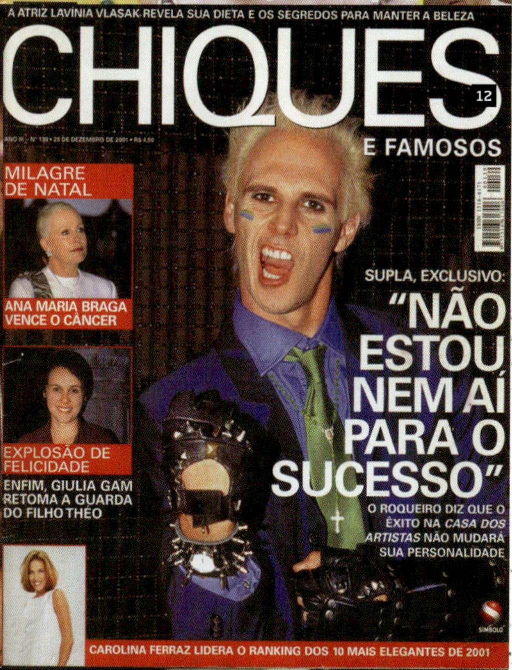

12

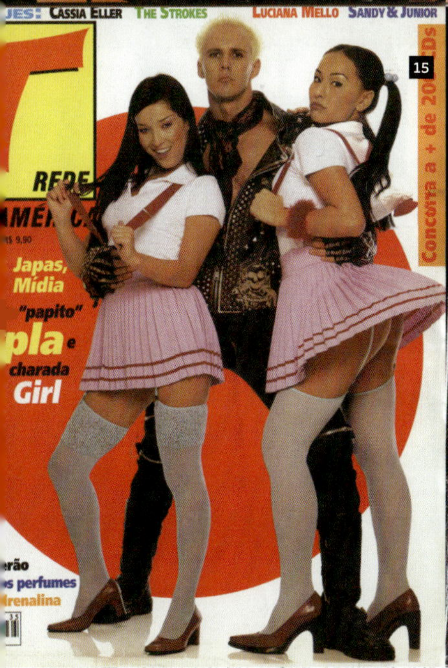

15

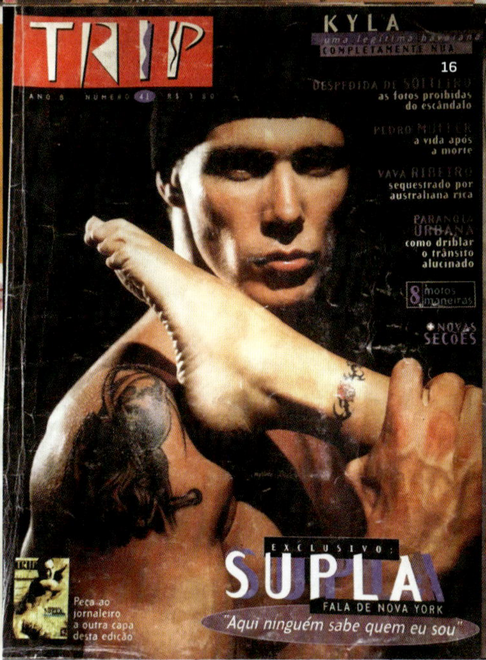

16

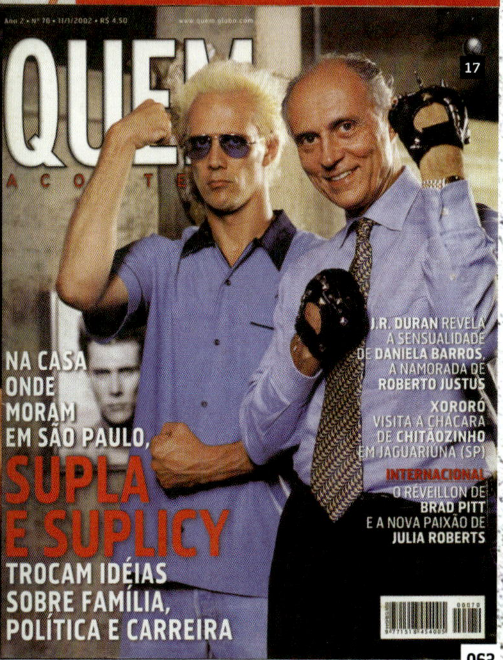

17

FOTO FLAVIO COLKER

JUVENTUDE EXIBICIONISTA

1. Supla na fase do seu primeiro disco solo, em 1989, celebrando a juventude e a diversão; 2. Destaque no jornal Folha da Tarde, edição de 10 de junho de 1989; 3. Show de lançamento do disco *Motocicleta Endiabrada* no extinto Dama Xoc, em São Paulo; 4. Kid Vinil rasgando elogios na resenha do disco: "A interpretação que Supla impõe a certas faixas é surpreendente. 'I fear the time' é um bom exemplo, ele canta em inglês e com tiques de interpretação à David Bowie no melhor estilo".

POR VOLTA DE 1986, eu tinha trancado a faculdade para me aventurar no mundo do rock. Dois anos depois, minha banda (Tokyo) acabou e tive que provar para mim mesmo que poderia viver de música. Ao longo desse percurso, percebi que realmente amava o que estava fazendo e não tinha como voltar...

Então, passei a preparar o material para o meu primeiro disco solo, que saiu em 1989. Foi um momento no qual quis celebrar tudo o que eu tinha direito como "moleque". Ou seja, decidi celebrar a minha juventude e a diversão! Naquele período, parecia que as pessoas tinham vergonha de assumir esse lado nas músicas. Tinha que pedir desculpa pra se divertir. Não concordava com isso e fui pro lado oposto! Liberdade sexual, pegar onda, andar de moto, só queimar de bomba... E isso fica bem evidente em músicas como "I Like Sex" ("I like sex, eu quero é suar, I like surfing, eu quero entubar"), "Motocicleta Endiabrada" e "Só queimar". E ao mesmo tempo eu também tirei sarro de mim mesmo, na faixa "O Exibido". A banda se chamava Supla e Os Exibidos. Era uma tiração de sarro, e só não percebia quem não tinha senso de humor.

O álbum foi muito bem recebido pela crítica e pelo público. Todo mundo entendeu! Desde o Thales de Menezes da Folha de S.Paulo até o Kid Vinil! As resenhas foram bem positivas e o público se identificou. Os fãs do Tokyo também curtiram... Até porque não tinha mais o que fazer, afinal a banda tinha terminado. O disco vendeu bem na época e até hoje tem gente que pede nos shows: "Por que você não toca 'Motocicleta Endiabrada'?".

SUPLA X IDOL

1, 2, 3 e 4. Supla no palco do Rock in Rio II, em 19 de janeiro de 1991; 5. Reprodução do jornal Folha de S.Paulo; 6. Reprodução do Jornal do Brasil, edição de 21 de janeiro de 1991.

LOS ANGELES, 1990. Estou cantando Elvis com o baixista da Nina Hagen e um guitarrista à la Jimi Hendrix no bar The Central, que hoje se chama Viper Room... A minha (então) namorada e empresária Fabiana Kherlakian acaba de me dar a melhor notícia: "Você vai tocar no Rock in Rio", disse ela, "na mesma noite que o Santana, INXS e Billy Idol!"

Uau! Fantástico... No dia seguinte, estou na porta da minha casa, do lado da Melrose Street, e adivinha quem passa de moto na minha frente? Billy Idol, junto com um segurança. Eles param a uma quadra de distância e o meu instinto me diz: "Vai lá, apresente-se e diga que você vai tocar na mesma noite que ele e está muito contente por isso".

Eles estacionaram as motos na frente do escritório do empresário dele, o Idol subiu (era um sobrado de 1 andar) e o guarda-costas já veio me xingando do nada, sem nenhuma educação... e sem motivo! A minha primeira reação foi dizer "calma lá", mas ele continuou com a estupidez. Sendo assim, eu chutei a sua moto, e então o Billy desceu, sem entender nada.

Eu apenas falei: "Sou um artista do Brasil que vai tocar na mesma noite que você no Rock in Rio e os vi passando de moto e achei natural vir me apresentar... Mas, devido a essa recepção super educada, vou me retirar. *See ya in Brazil, welcome to the jungle*". O segurança ficou com cara de bunda e o Idol, sem saber o que fazer, apenas disse "*good luck*".

No dia do show, 19 de janeiro de 1991, o meu camarim dava de frente para o dele... minha namorada falou "deixa quieto, já foi".

Fiz um dos meus melhores shows, e até me rendeu um contrato com a EMI Records. Aqui está a crítica do Jornal do Brasil, que deu duas estrelas para mim e duas para o Billy Idol!

FOTO MARCOS BONISSON

068

CAZUZA USOU MINHAS BOTAS

QUEM ME APRESENTOU AO CAZUZA foi minha ex-namorada Fabiana Kherlakian junto com sua mãe Yara Neiva. Elas achavam que nós iríamos nos identificar e foi isso mesmo que aconteceu.

Essa foto acabou rolando porque o Cazuza estava fazendo uma capa pra revista Bizz, com o fotógrafo Marcos Bonisson. O Marcos era casado com a Yara, e por acaso eu estava presente nessa sessão de fotos. E aí falaram "Pô, vamos fazer uma foto do Supla com o Cazuza". O Cazuza queria uma bota legal para sair na foto e pegou a minha emprestada, que ficou super gigante no pé dele...

Creio que nos identificamos porque éramos roqueiros de mente aberta musicalmente. Eu achava engraçado o Cazuza cantando "a burguesia fede". Gostei imediatamente dele. Ele era rock and roll. Não tinha papas na língua, falava o que vinha na cabeça. "Puta, essa novela é chata", lembro-me dele comentando sobre uma novela que estava passando na época. Ele não tinha vergonha de ser o que ele era. E eu também sempre busquei isso, desde o começo da minha carreira, como na letra de "Humanos": "Querem me obrigar a ser do jeito que eles são, cheios de certezas e vivendo de ilusão". O Cazuza expressava muito isso!

Algum tempo depois, fizemos uma música juntos, chamada "Nem tudo é verdade", que está no meu primeiro álbum solo e ganhou até vídeo no Fantástico.

"Vejo o Brasil do avião, é tudo verde, é tudo em vão..."

O processo de composição foi a distância. Conversamos por telefone, trocamos ideias e ele me mandou algumas partes da letra. O conteúdo da letra misturava o lance da gente vir de família rica com o fato de ter noção do que acontecia ao nosso redor. Bem diferente do "Ah, eu tô bem, danem-se os outros"... A letra era uma visualização do que acontecia no Brasil.

NOS FILMES

1 FOTO DIVULGAÇÃO O UHA ESCOLA ATRAPALHADÃO

2 FOTO ALEXANDRE ERMEL

3 FOTO DIVULGAÇÃO CLAUDIA FERREIRA

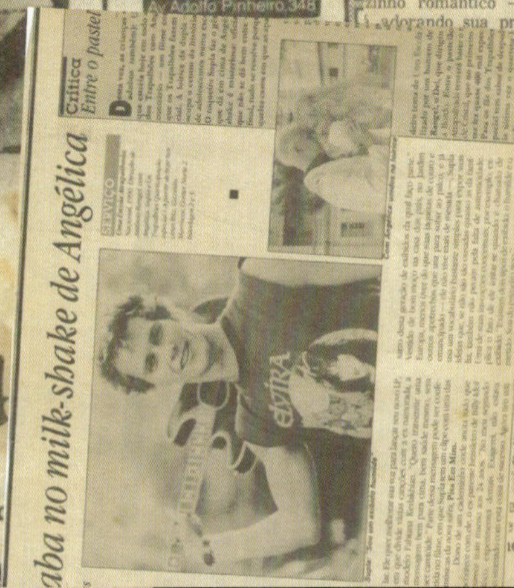

Supla, o exibido, agora em aventuras cinematográficas

Fernanda Teixeira
Especial para o FT

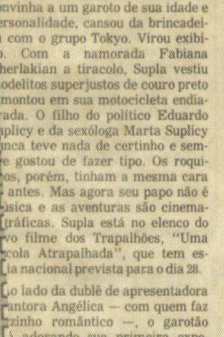

Primeiro ele brincou de super-herói. Roupas multicoloridas e convinha a um garoto de sua idade em fase de auto-afirmação. Rapidinho mudou de idéia e, como convinha a um garoto de sua idade e personalidade, cansou da brincadeira com o grupo Tokyo. Virou exibido. Com a namorada Fabiana Sherlakian a tiracolo, Supla vestiu modelitos superjustos de couro preto e montou em sua motocicleta endiabrada. O filho do político Eduardo Suplicy e da sexóloga Marta Suplicy nunca teve nada de certinho e sempre gostou de fazer tipo. Os roqueiros, porém, tinham a mesma cara de antes. Mas agora seu papo não é música e as aventuras são cinematográficas. Supla está no elenco do novo filme dos Trapalhões, "Uma Escola Atrapalhada", que tem estréia nacional prevista para o dia 28.

Ao lado da dublê de apresentadora e cantora Angélica — com quem faz parzinho romântico —, o garoto vivendo sua primeira experiência, se sai ótimo nas cenas amorosas. "É um bom ator, concentra-se muito na California, surfando e estudando canto —, Supla declara estar em uma fase mais tranquila. Os cabelos, antes totalmente descoloridos, agora estão voltando à cor natural. Olhos verdes, 1,84 de altura, aos 24 anos, o ariano que estudou no Colégio São Luiz diz acreditar "em um Deus, mas não naquele dos padres do colégio".

Os dentes branquinhos, ele pega o violão para mostrar as novas composições. Elas estão diferentes porque ele, como diz, "está mudando como pessoa" e dá graças a Deus: "Hoje não existe mais aquele lance de passar eletricidade". Suas músicas ficaram mais "softs" e melodiosas. "Sou um cara que precisa estar sempre aprendendo, tendo informações novas e hoje me sinto bem mais tranquilo". Apesar do aparente amadurecimento, os versos da inédita "Suzete Putete", um rock funkeado, entregam seus assuntos preferidos: "Vestida de puta e de tiete/ Ela era da Playboy/ Ela era artificial/ Ela era Suzete/ Provocava ilusões /Conflitantes situações/ Suzete não tinha igual/ Era vital/ Ela era sensual/ Ela era metal/ Procurando diversão/ Dama da noite /Salto alto e perfume/ Você um tesão/ Suzete Putete".

Fã de David Bowie ("um cara louco da cabeça"), Supla admira algumas mulheres no cenário da música internacional, como Lita Ford e Pat Benatar. Sem namorada atualmente, diz que sempre foi adepto da fidelidade. "Mas depende do combinado, do trato que você estabelece com a outra pessoa. Loucuras por amor ele conta que já fez muitas. "Se me acho gostoso? Isso elas é que podem dizer...", você só pensa "naquilo", Supla. "Não, também penso em pegar onda e rock'n'roll. Todo mundo que quer ser rock star tem um lado exibido porque faz parte do negócio. Cada um faz um estilo dentro de seu exibicionismo".

QUANDO O DIDI DOS TRAPALHÕES me convidou para fazer o filme "Uma Escola Atrapalhada" (1990) e ser o par romântico da Angélica, eu achei muito legal! Seria a minha estreia no cinema (já me imaginei como um Elvis - olha a pretensão -, filme e música).

O Selton Mello era o meu parceiro na trama e era contra o meu namoro com a Angélica, que fora de cena sempre foi muito educada e simpática. O pai dela estava muito preocupado com o fato de que ela teria de me beijar na boca... Eu disse, "se tiver que beijar, beija!", mas no final apenas dei uma chupadinha nos dedos dela... Sem maldade, ficou até legal!

Depois vieram outras oportunidades, como a minissérie "Sex Appeal" (1993), a novela "Um Anjo Caiu do Céu" (2001), e os filmes "Eliana em o Segredo dos Golfinhos" (2005), como o líder do grupo de manifestantes, "Apneia" (2014), como um cowboy americano, e "Noel - Poeta da Vila" (2006), no qual interpreto o Mário Lago, entre outras participações. Recentemente, interpretei eu mesmo no filme "Meu Amigo Hindu" (2015), de Hector Babenco.

Pipoca e cinema, um dos meus programas favoritos!!!

Obs. "Uma Escola Atrapalhada" foi o último filme no qual os quatro Trapalhões estavam reunidos.

1. Supla faz sua estreia no cinema com o filme "Uma Escola Atrapalhada" (1990); 2. Contracenando com Camila Pitanga. Supla interpretou Mário Lago no filme "Noel - Poeta da Vila" (2006); 3. Supla como Carlão no filme dos Trapalhões; 4. Par romântico com Angélica. O casaco branco usado por Angélica no filme era do Supla.

GIRLS, GIRLS, GIRLS

1. Fabiana Kherlakian e Supla em um ensaio para a edição 30 da revista Trip, em 1992; 2. Supla e Gabriela Greeb, sua primeira namorada; 3. A galera da Escola Vera Cruz. Na fileira do meio, Gabriela é a segunda da esquerda pra direita, ao seu lado Supla, Paula Alzugaray e a jornalista Sandra Annenberg (com um buquê na mão).

JÁ SOFRI MUITO POR AMOR... Como escreveu o poeta Vinicius de Moraes, "porque a vida só se dá, pra quem se deu, pra quem amou, pra quem chorou, pra quem sofreu, ai, quem nunca curtiu uma paixão, nunca vai ter nada, não...". Gabriela Greeb, Fabiana Kherlakian e Brijitte West. Essas três mulheres me inspiraram demais durante o meu percurso até aqui. Existem outras também, Camila Dubay, Eliana Dias, Claudia Carvalho Pinto, Adriana Diniz, Isabel Ibsen, Kymberly... Girls, girls, girls... Mas neste livro escolhi essas três para dar mais detalhes de nossas histórias. Só tenho que agradecê-las por ter tido a sorte de ter vivido com elas momentos incríveis!

MINHA PRIMEIRA NAMORADA

EU ESTUDEI EM VÁRIOS COLÉGIOS e acho que foi assim que comecei a ficar famoso. Lembro-me de ter estudado no Lourenço Castanho e também no Colégio Nossa Senhora do Morumbi... Lá cheguei a andar de mãos dadas e dar uns beijinhos com a Adriana Diniz, filha do Abilio Diniz, mas não passava disso.

Estudei também no São Luís, no Objetivo e no Vera Cruz. Logo no primeiro dia no Vera, pude notar duas garotas muito bonitas, que eram os xodós de todos os bichos-grilos... Uma se chamava Paula Alzugaray, mas já era comprometida, e a outra tinha o nome de Gabriela Greeb. Nossos olhares se encontraram e não teve como negar, rolou uma atração. Ela disse que me detestou sem me conhecer, pois os bichos-grilos já tinham feito a minha caveira.

Eu não gostava de ir à escola, mas passei a me animar com a ideia de ir todo dia para paquerar uma garota...

Acabamos namorando por um longo tempo, foi com a Gabi que tive meus primeiros momentos de paixão de adolescente. Íamos à praia, ao campo e na música tínhamos o mesmo gosto!

Hoje somos grandes amigos, ela até dirigiu o primeiro clipe do Brothers, "Samba Around the Clock".

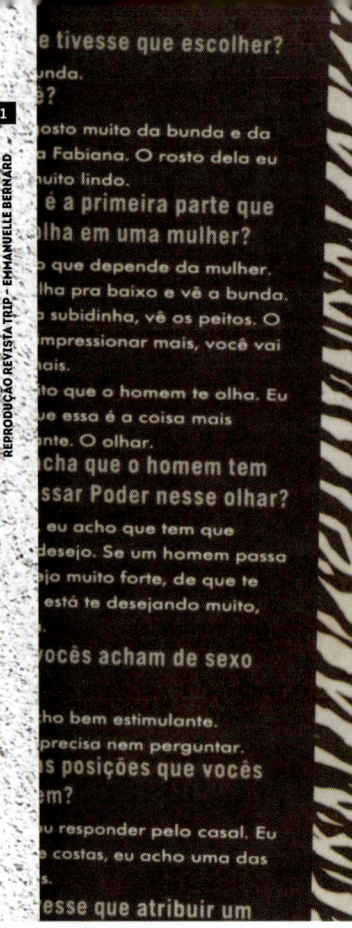

FABIANA KHERLAKIAN: UMA GAROTA CONECTADA

A FABI FOI MINHA NAMORADA, vivemos uma grande paixão e ela também foi minha empresária por um tempo. Ela me apresentou ao Cazuza, Caetano Veloso e me colocou no Rock in Rio pela primeira vez! Ela me ajudava em tudo, era uma super companheira, fizemos clipes e até algumas letras de música juntos, como por exemplo "Pisa em mim", "Penúltima vez", "25 Horas" e "Figa de Marfim".

Super descolada, a família dela era dona da Zoomp e ela tinha ideias bem avançadas para a época, como por exemplo fazer um ensaio nu comigo em cenas bem picantes para a revista Trip... Lembro que não ficamos encabulados durante o ensaio, não foi algo forçado e curtimos a experiência. Tampouco ficamos preocupados com o que os outros iam pensar... Se fosse me preocupar com a opinião alheia, creio que não teria feito nem metade das coisas que fiz na vida! Essas fotos abalaram! Pessoas do meio publicitário disseram que tínhamos passado dos limites. "Que ótimo", pensei.

1. Fabiana Kherlakian e Supla em um ensaio para a edição 30 da revista Trip, em 1992; 2. Supla e Brijitte West, em Londres.

BRIJITTE WEST (MULHER AMERICANA)

CONHECI A BRIJITTE EM NY por volta de 1992. Ela namorava o Rick do D Generation e tocava numa banda chamada The New York Loose. Ela era simplesmente a menina mais desejada do cenário glam punk da cidade. Dee Dee Ramone quase se matou por sua causa e Jim Jarmusch também era bem apaixonado por ela.

Em 1994, mudei em definitivo para NY e acabei me apaixonando pela Green Hair, então não tinha faróis acesos para nenhuma outra menina. Mas a Brijitte sempre era muita simpática e atenciosa comigo quando nos encontrávamos. Passaram-se os anos e nunca mais a vi; fiquei sabendo que ela tinha se mudado para a Inglaterra.

Muitos anos depois, quando o Brothers fez o seu primeiro show no bar Made In Brazil, em Londres, a Brijitte estava presente. Fiquei muito feliz em revê-la e foi tipo contato imediato: começamos a sair, ela foi me contando sobre a vida dela em Londres, que tinha se separado e já tinha dois filhos! Quando percebi, já estava apaixonado. Até tentei ser um bom padrasto, mas não deu certo. Essas relações a distância fazem você sofrer muito! Meu conselho é o seguinte: encontre uma pessoa da sua cidade, pois isso facilita as coisas!

Fizemos juntos duas músicas para o seu álbum solo (Brijitte West and the Desperate Hopefuls), "Hey Papito" e "It's Not My Fault". Hoje perdemos um pouco o contato, ela decidiu voltar para a sua família. Mesmo assim, desejo tudo de melhor para ela. She's a real punk rocker! The real deal, babe.

"Eu tenho um plano romântico pra nós dois / Um oceano atlântico de emoções / Um gole na garrafa de Sailor Jerry / Uma arma carregada my Loyal Soldier / Mulher americana, não vejo a hora / De te beijar." (trecho da letra de "Mulher Americana", música do Brothers inspirada na Brijitte)

FOTO BOB GRUEN

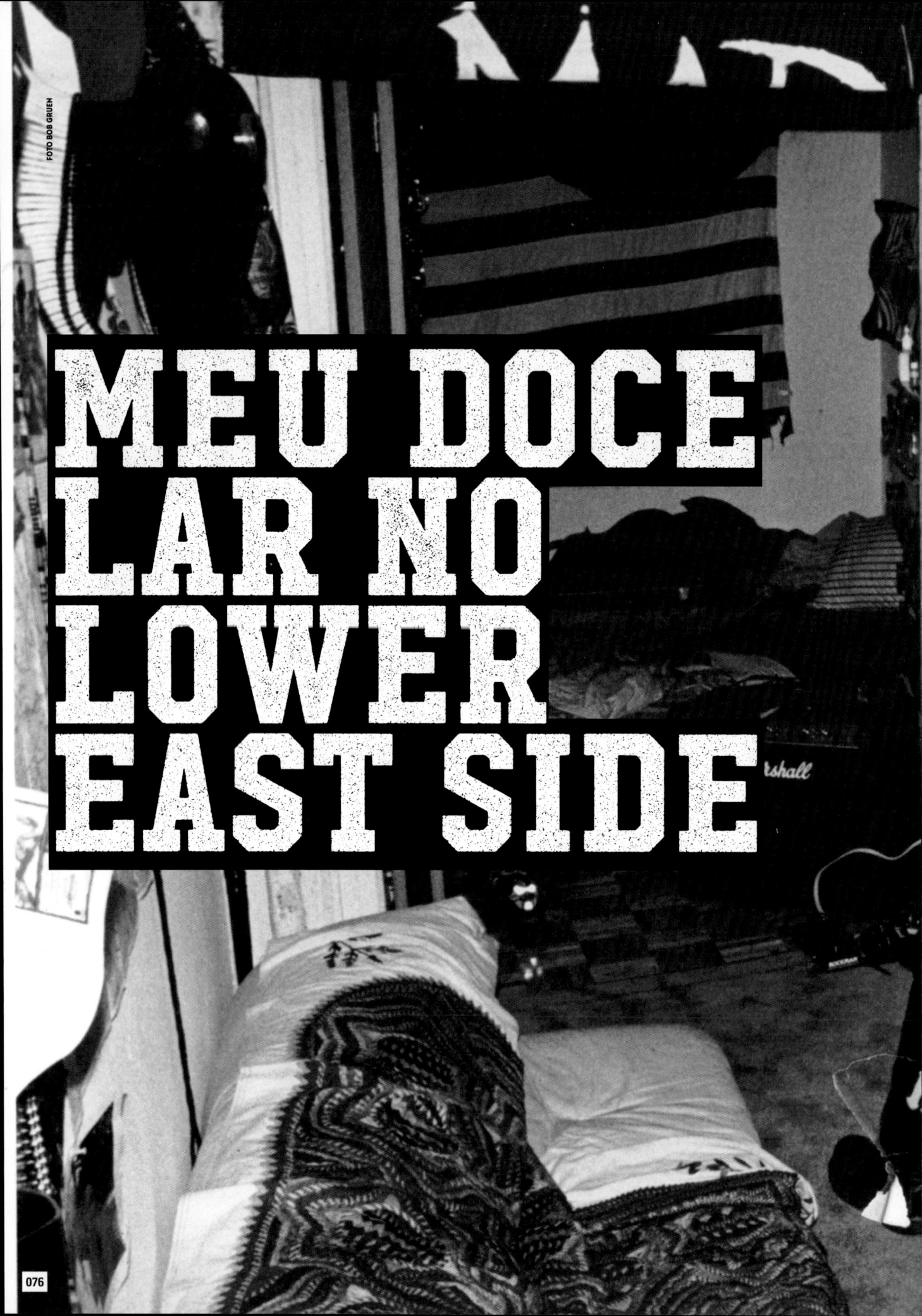

MEU DOCE LAR NO LOWER EAST SIDE

076

077

ENTRE 1994 E 1999, morei nesse apartamento no East Village, no bairro conhecido como Lower East Side, na parte sudeste da cidade de Nova York. No começo, pagava 350 dólares de aluguel e, no final, já estava custando quase 2 mil dólares... Com a especulação imobiliária o preço foi subindo!

Ali eu vivi muita coisa, muita coisa mesmo. Inclusive o apelido de Papito nasceu ali, invenção do meu síndico, que me via subindo com garotas para o apartamento... "Hey, Papito!".

Foi sugestão do próprio Bob Gruen fazer as fotos do meu apartamento. Ele registrou uma tarde normal da minha vida, mostrando o meu lugar de trabalho, onde eu escrevia as canções etc. Muitos pôsteres que aparecem nas paredes estão comigo até hoje. E o tapete zebrado! Aliás, eu levava esse tapete pro palco nos shows do Supla Zoo! Colocávamos no fundo do palco como cenário. E está aqui em casa até hoje!

O apartamento era estreito e pequeno, super apertado, mas ao mesmo tempo muito aconchegante. Todos os móveis eu catei na rua... Passei muitas noites compondo nesse apto, junto com meus parceiros Louie Gasparro (Psycho 69) e Justin Tentler (Supla Zoo). Não precisávamos de mais nada: um violão e boas cabeças pensantes! Músicas como "Green Hair", "Vacation", "Viva Liberty" e "Monkey Copacabana Beach Banana" nasceram ali.

Nunca fui de cozinhar, então vivia a base de manteiga de amendoim e geleia... Também não fazia tanto sentido cozinhar porque embaixo do prédio tinha um restaurante porto-riquenho e cubano. E eu gastava três dólares pra comer! Ali era o meu prato do dia.

Certo dia, minha mãe foi me visitar e perguntou: "Mas onde você come?". Respondi: "No chão, mãe, tipo índio". Eu realmente não ligava pra nada! Estava feliz e livre. Recomendo para qualquer pessoa essa vivência: sair da sua zona de conforto e ir viver em qualquer lugar por um tempo, para ter uma experiência de vida que não se adquire na faculdade ou na barra da família.

Tem uma memória muito legal dessa época: durante um tempo trabalhei como *bouncer* no Coney Island High, onde vi todas as bandas tocando! Depois do trabalho, voltando pra casa lá pelas sete da manhã, costumava encontrar o Iggy Pop na Tompkins Square, tomando um café e lendo um jornal no banco da praça. E sempre nos cumprimentávamos: "Hi, Iggy!".

1. Fazendo um som no apartamento nova-iorquino; 2. Ensaiando para uma apresentação com o Supla Zoo; 3. Sempre de olho na TV. Nessa época, seu programa favorito era o talk show de Conan O'Brien; 4. A vista da janela do apartamento no Lower East Side.

FUCK! LEVEI UM TIRO EM NY

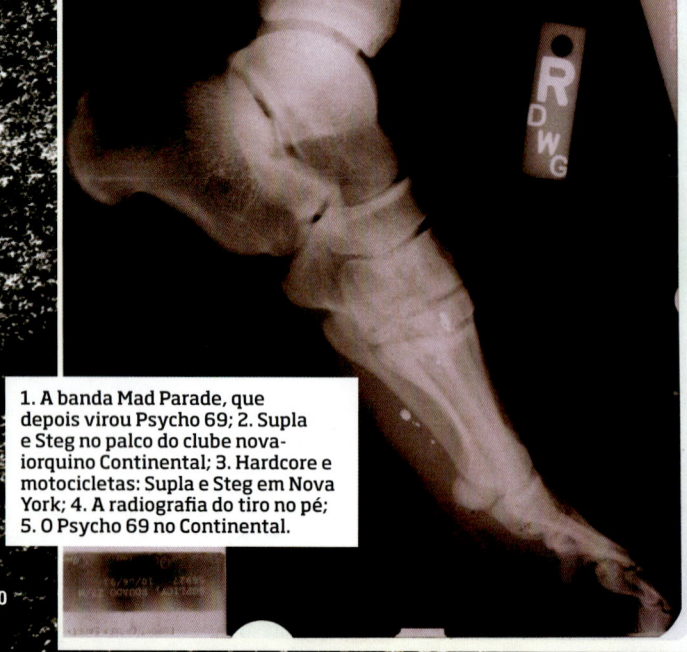

1. A banda Mad Parade, que depois virou Psycho 69; 2. Supla e Steg no palco do clube nova-iorquino Continental; 3. Hardcore e motocicletas: Supla e Steg em Nova York; 4. A radiografia do tiro no pé; 5. O Psycho 69 no Continental.

FOTO JOYO VOLOTÃO

ERA OFICIAL! Eu tinha entrado na banda Mad Parade (que depois veio a se chamar Psycho 69) e o nosso primeiro show foi no clube AKA, na Houston Street, em Nova York. Bom, nós tocamos e foi da hora, mas preciso voltar um pouco no tempo para contar como terminou a minha noite...

No dia anterior, Steg (o guitarrista da banda, conhecido por ser super violento, no estilo facadas e brutalidades do tipo) decidiu ser o xerife da sua rua. Ele e um amigo de um certo motoclube espancaram alguns traficantes filipinos que atuavam na região.

Após o show, eu estava voltando para a casa do Steg para guardar o equipamento, e ele me contou sobre o episódio do dia anterior. No momento em que estávamos saindo da van, eu avistei os filipinos se aproximando, com facas nas mãos, apontando para o Steg e gritando "Mata o moicano"!

Enquanto fiquei do lado de fora, ele entrou correndo em sua casa e saiu com uma shotgun. Mas, na hora de armar o rifle, o imbecil disparou sem querer e acertou o chão a 20 centímetros de onde eu estava. Deu merda: voaram estilhaços e perfuraram a minha bota. Pensei, "Porra, mal cheguei nos EUA e já tomei um tiro!".

Que dor do caralho! Foi foda.

Nessas, a polícia chegou e eu saí mancando. Um dos tiras perguntou: "Aonde você vai?". Eu disse que só estava passando por ali - e ainda bem que acreditaram. De longe, pude ver o Steg sendo preso junto com os filipinos. Fui mancando até o local onde estava hospedado, a casa do meu primo Chico Aragão, na 1 Fifth Avenue. Entrei na sala sangrando e tingindo de vermelho o seu tapete branco. Falei, "tomei um tiro! Qual hospital devo ir?".

Meu primo desacreditou: "Não é possível... Estou sonhando, né?".

Fomos ao hospital Saint Vincent e lá eu menti no formulário que me deram para preencher; disse que tinha tomado um tiro de uma bala perdida no metrô.

Steg ficou preso por três dias. Assim que ele saiu, eu intimei: "Você quer levar um soco na cara ou no figueredo? Escolhe! Um ou outro para eu continuar na banda". Ele escolheu o fígado... Apesar do Steg ser um cara violento e super de direita, eu gostava dele, e me inspirava no estilo dele, posso afirmar que seu estilo de tocar guitarra também influenciou muita gente da cena de hardcore e metal de NY com sua banda School of Violence.

Essa história do tiro até nos inspirou para escrever uma letra, chamada "Brutal Game"!

"Living my life like a bullet in flight / Never know the reason why / The price you pay for the violent games you play / For me is just another day / Rich man's eyes, poor man's hands, body filled with dead man's dream / Human blood is pumping on the ground and now you just can't be found / Cause you know, that I know, that this time is for real / Savage blows enslave our brains / No place to hide on the brutal game"[1]

---

1 Em português: "Vivendo a minha vida como uma bala voando / Nunca se sabe o motivo / O preço que você paga pelos jogos violentos que você joga / Para mim é só mais um dia / Os olhos do homem rico, as mãos do homem pobre, o corpo cheio de sonhos de um homem morto / O sangue humano está bombeando no chão e você não pode ser encontrado / Porque você sabe, que eu sei, que dessa vez é de verdade / Golpes selvagens escravizam nossos cérebros / Sem um lugar para se esconder no jogo brutal"

FOTO ARQUIVO PESSOAL SUPLA

Supla, Roy Mayorga, Max Cavalera e Zyon Cavalera, no Ozzfest de 1998, nos EUA.

DESTRUINDO PAREDES AO SOM DE SOULFLY

EU TRABALHAVA COMO DEMOLIDOR de paredes em Nova York. Era um dos meus inúmeros bicos para me sustentar... Só não chupei pau e não dei a bunda, agora de resto... Qualquer coisa servia para ganhar um troco a mais.

Dava para tirar 25 dólares por hora; entrávamos às 8 da manhã e saíamos às 5 da tarde. Eu adorava aquele trabalho que era mais físico do que qualquer outra coisa, totalmente braçal. Eu colocava a máscara de pó e martelava a parede sem piedade, escutando uma *college radio* que na época tocava Soulfly.

Então, fiquei sabendo que o Max iria se apresentar no Ozzfest de 98, com o Soulfly. Eu já conhecia o Max: tínhamos feito um show juntos no interior de São Paulo, na época do Sepultura. E todos os caras da banda foram super simpáticos comigo. Bom, então quando soube desse show no Ozzfest, tive a ideia de entrar em contato e propor de levar uns amigos capoeiristas pra fazer uma apresentação. Por incrível que pareça o Max topou, e fizemos a abertura do show dando uns rabos de arraia no palco, só pra chegar barbarizando! Foi animal!

Lembro que tanto o Max quanto a Gloria foram muito legais comigo nesse dia. Na foto, estávamos no estacionamento onde os ônibus das bandas ficavam. Roy Mayorga (batera), Max Cavalera, Zyon Cavalera e eu.

O FOTÓGRAFO BOB GRUEN

1. Sessão de fotos de divulgação realizada no estúdio de Bob Gruen em Nova York; 2. Supla e Bob Gruen numa exposição do artista britânico Damien Hirst em Nova York.

CONHECI O BOB no Electric Lady Studios em Nova York. Na ocasião, a banda D Generation estava gravando seu álbum e eles me chamaram para escutar algumas músicas. Bob e sua esposa Elizabeth também estavam lá e, assim como eu, ela tinha acabado de operar o joelho, então tivemos algo em comum para conversar. No fim de semana seguinte, convidei-os para assistir ao show do Supla Zoo no CB's Gallery e depois presenciaram a pancadaria sonora do Psycho 69 no Continental. Assim nos tornamos grandes amigos!

O Bob Gruen é um dos maiores fotógrafos de rock and roll de todos os tempos! Fotografou Sid Vicious com o cachorro-quente na boca, todo lambuzado, e John Lennon fazendo o sinal da paz em frente à Estátua da Liberdade. Vi essa foto do John Lennon no dia em que fui ao apartamento do Bob no West Side, e ela me inspirou a fazer a letra de "Viva Liberty".

O cara sempre foi antenado e esteve presente na cena do rock fotografando o início de bandas como Ramones, The Clash e Sex Pistols muito antes delas se tornarem lendas. Qualquer um que conversar com ele vai perceber que está falando com uma verdadeira enciclopédia do rock.

O filho do Bob (Kris Gruen) uma vez me contou sobre um dia em que foi com o pai ver um show do Kiss. Bob estava lá a trabalho e deixou o filho - que ainda era uma criança - sozinho vendo aqueles monstros... "Foi assustador!", disse Kris, que também tem fotos no colo do Johnny Thunders totalmente chapado!!!! Hahaha.

Já fiz várias sessões de fotos com ele, algumas para capas de discos (como *Vicious*, *Menina Mulher* e *O Charada Brasileiro*) e outras para divulgação. A foto da capa deste livro, em especial, foi feita em 1997 no dia de sua primeira visita ao meu apartamento em Nova York.

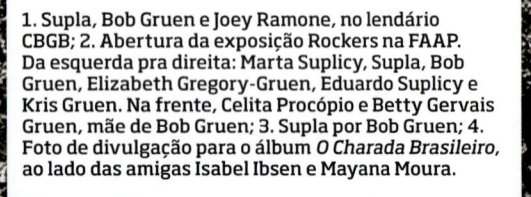

1. Supla, Bob Gruen e Joey Ramone, no lendário CBGB; 2. Abertura da exposição Rockers na FAAP. Da esquerda pra direita: Marta Suplicy, Supla, Bob Gruen, Elizabeth Gregory-Gruen, Eduardo Suplicy e Kris Gruen. Na frente, Celita Procópio e Betty Gervais Gruen, mãe de Bob Gruen; 3. Supla por Bob Gruen; 4. Foto de divulgação para o álbum *O Charada Brasileiro*, ao lado das amigas Isabel Ibsen e Mayana Moura.

A intenção era registrar como vivia um artista brasileiro na cidade que nunca dorme… Sinceramente, nem acreditava que ele tinha ido até lá para me fotografar. Foi uma honra.

Dez anos depois, em 2007, fui o curador da sua exposição chamada *Rockers*, no Museu de Arte Brasileira da FAAP. Conversando com a Celita Procópio de Carvalho (dona da FAAP), sugeri a princípio fazer uma exposição do John Lennon, pois o Bob tinha sido fotógrafo oficial do casal Lennon e Yoko durante um período. Ela adorou e perguntou se tinham outras coisas. "Tem de tudo", respondi. Bowie, Stones, Tina Turner e por aí vai. E assim decidimos fazer a exposição de todos os artistas que o Bob já tinha fotografado. Foi muito legal vasculhar os arquivos dele, muitos registros ele nem se lembrava direito, tipo uma foto do David Byrne com o Andy Warhol. Tentei selecionar as imagens mais raras e as mais clássicas. A orgia do Kiss no backstage, a conhecida do Led Zeppelin na frente do avião, entre muitas outras que podem ser vistas no livro *Rockers*. A exposição foi um sucesso!!!

Esse é o Bob Gruen. Além da qualidade como fotógrafo, outra característica que admiro nele é que ele sempre vai te falar as coisas como elas são: você pode não gostar, mas ele vai te lançar a real naquele típico jeito nova-iorquino!

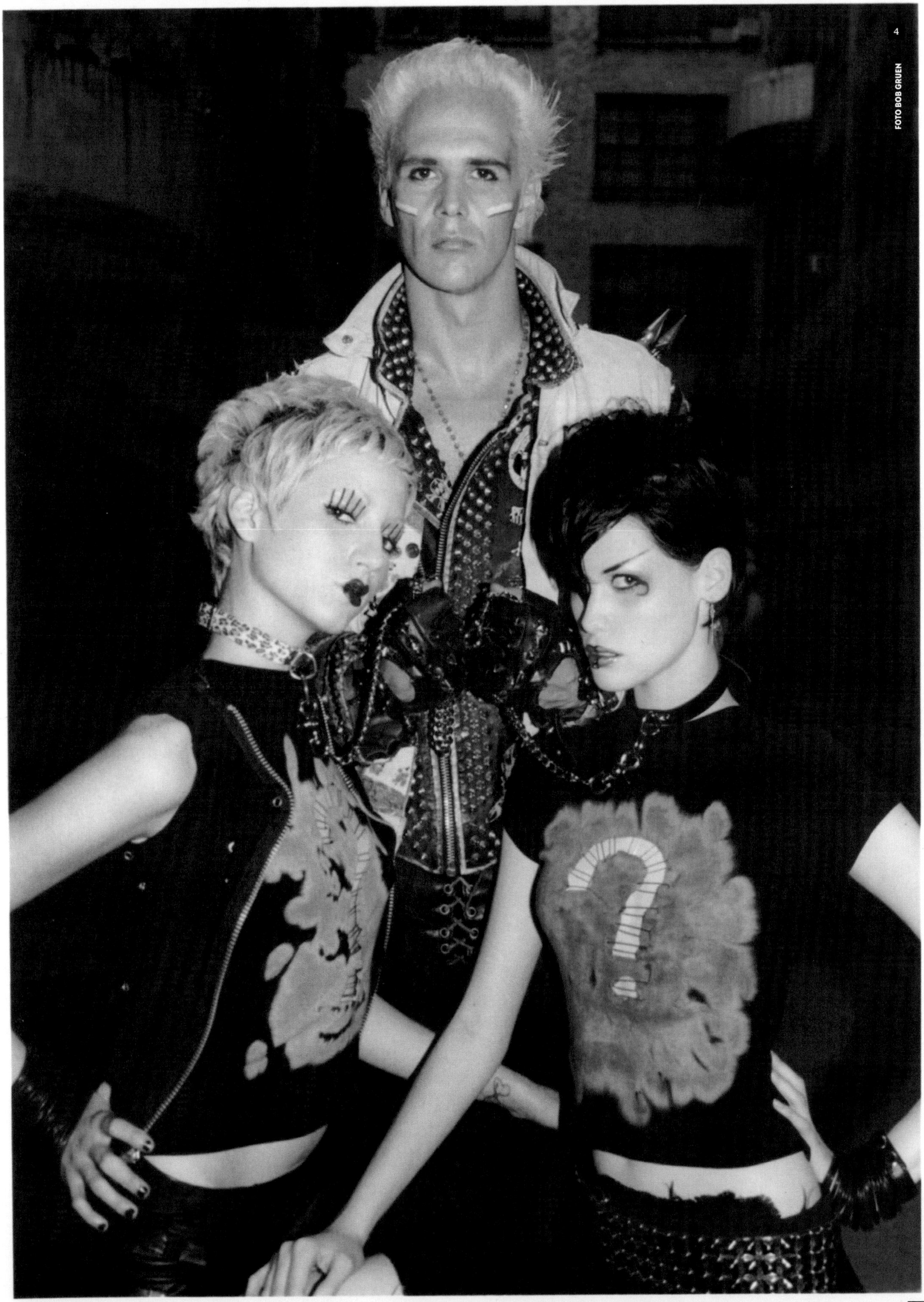

4

FOTO BOB GRUEN

CHUVA DE CUSPARADAS NA ABERTURA DO RAMONES

Registros do Psycho 69 abrindo para os Ramones na extinta casa de shows Olympia (São Paulo), em 1996. Esses shows fizeram parte da turnê de despedida dos Ramones, intitulada Adios Amigos.

NO AUGE DO TOKYO, em 1986, em alguns shows era moda o público ficar cuspindo nos músicos, no melhor estilo da tradição punk! Que nojento! Lembro-me quando o John Lydon veio com o seu PiL para fazer shows aqui no Brasil e foi a mesma coisa! No meio da apresentação ele fez um sinal para a banda parar e deu um recado para a plateia: "A próxima cusparada e vou embora!". Bum! Logo em seguida tomou uma no olho... o show parou, mas mesmo assim ele terminou (acredito que tenham cortado do set list umas três musicas para saírem rapidinho dali).

Em 1996, a banda Psycho 69 (da qual eu era vocalista) foi convidada para abrir os shows dos Ramones aqui no Brasil! Eu estava muito contente e me sentindo honrado por esta oportunidade de mostrar o meu novo trabalho; por outro lado, eu estava muito triste, pois tinha passado por duas operações no joelho recentemente, por conta de uma entrada nada amigável de um inglês num jogo de futebol, na liga semi profissional em Nova York. Esse era um dos bicos que eu fazia para me sustentar... Eu me achava indestrutível, mas não era. Foi um divisor de águas na minha vida: é muito duro você ser super ativo e de repente não conseguir mais andar direito! Eu continuo praticando esportes, mas pode ter certeza que sinto ainda muita dor em minhas corridas ou num jogo de futebol.

Bom, o Psycho 69 chegou ao Brasil super credenciado, éramos amigos dos Ramones e tínhamos total respeito na cena de NY... Tudo certo para fazer um grande show de abertura!

Logo no começo da apresentação já vieram cusparadas de todos os lados. Eu fiquei meio sem saber o que fazer, frente a essa terrível receptividade. Na hora, puxei um guarda-chuva que estava ao meu alcance, e no meio da performance desci do palco e me aproximei da plateia... Nessas, um rapaz puxou a minha corrente do pescoço e a resposta foi automática: dei-lhe um tapão na cara, sem dó! As cusparadas continuaram. As três noites no Olympia foram assim.

Eu simplesmente não entendia o motivo de tanta raiva.

Pensei...

1 - Será por que sou filho de políticos?
2 - Por que venho de uma classe social privilegiada e não tenho direito de estar ali?
3 - Por que fiz um filme com a Angélica e participei da minissérie da Globo Sex Appeal?
4 - Por que o som era uma bosta?
5 - O quê fiz de errado?

O mais louco foi que, depois do show, eu estava na plateia e a galera vinha me cumprimentar! Vai entender! Lembro inclusive do Digão dos Raimundos me falando: "Meu, que porrada de som foi aquela! Caralho!".

Então, eu vou te dizer, Psycho 69 era the real fucking deal!!! A banda já estava bem falada no cenário underground de NY. Na minha opinião, era muito promissora. Se não aconteceu mercadologicamente já é outro assunto...

Quanto às cusparadas... Tudo bem, já passou... Você tem que ser muito forte para aguentar uma porrada dessas! Imagino o que o Carlinhos Brown e o Lobão sentiram[1] no Rock in Rio!

No final, isso só serviu para me deixar mais forte!

---

1 Tanto Carlinhos Brown quanto Lobão enfrentaram a ira do público no Rock in Rio, nas edições de 2001 e 1991, respectivamente. Brown recebeu uma chuva de garrafas e copos de plástico, e Lobão uma sonora vaia, além de latadas, que obrigaram o músico a se retirar do palco.

BIZNESS EM NY

Making of do clipe de "Bizness", filmado em Nova York.

A MÚSICA "BIZNESS" foi feita no Brooklyn (Nova York), junto com o Kojak - escrevi a letra a partir de um beat criado por ele. O Louie Gasparro, que tocava no Psycho 69, tinha mania de falar "You wanna it, you got it!". Falava essa parada o tempo todo! E tive a ideia de samplear isso e colocar na música. Depois, quando fiz a versão em português em parceria com o Fabio Bopp, ela virou "vai ô seu comédia/para de fazer média...".

O Louie sempre me contava histórias sobre os mafiosos em Nova York, porque isso faz parte da vida de algumas famílias italianas na cidade. E foi assim que surgiu a ideia para fazer esse clipe. Por coincidência, nessa época o meu amigo Marcos (MC Fernandes) estava passando um tempo no meu apartamento em NY. Ele já tinha dirigido outros clipes meus no Brasil ("Encoleirado", "Só Pensa na Fama"), e acabou filmando "Bizness" também.

A locação escolhida foi um lugar que tinha fama de ser usado pelos mafiosos como local de "desova": diziam que eles jogavam os corpos das pessoas que estavam atrapalhando as negociações deles por ali... o corpo era jogado dentro do cimento e virava parede!!! Apesar da fama sinistra, foi super tranquilo, estava totalmente vazio. Terra de ninguém!

O clipe ficou famoso no Brasil em 2001 graças ao Marcos Mion, que tirou uma onda no [programa] Piores Clipes do Mundo, na MTV. Sou grato a ele de ter tirado sarro, e grato a mim mesmo por saber levar uma piada na boa. Graças à piada a música estourou. No final, a canção "Bizness" virou um hit de verão na MTV junto com "Green Hair", que foi o carro-chefe!

You wanna it, you got it!

Fabio Bopp e Supla, no show de lançamento do disco *O Charada Brasileiro*, no extinto Palace, em São Paulo.

O XERIFE FABIO BOPP

FABIO BOPP. Amigo fiel, surfista, boxeador e policial. O cara adora uma treta, mas também pode ser um amor de pessoa, daquelas com quem você pode contar.

Conheci o Fabio em 1982, na época em que estudava no Objetivo. Ele era da galera do surf e também curtia um som (punk e new wave). Acho que foram essas duas coisas que nos uniram: o surf e a música. Nos tornamos amigos desde então, e ele acompanhou toda a minha carreira.

Depois de sete anos morando em Nova York, eu voltei ao Brasil e comecei a andar direto com o Fabio. Ele era o cara mais engraçado do rolê, com uma legião de fãs pelo seu carisma natural.

Eu tinha várias músicas nessa época, mas todas estavam em inglês e eu precisava adaptá-las para o português. Nós dávamos umas voltas de carro e íamos cantando em português por cima das bases em inglês... A minha barriga doía de tanto rir!

Surgiam letras do tipo "vai ô seu comédia / para de fazer média / pensa que é bacana / só porque tem grana" (da música "Bizness") ou então "interesseira ou gasolina / qual apelido que mais te anima?" ("Interesseira").

Em um desses rolês fomos assaltados na marginal. Foi a única vez que fui assaltado na vida – e justamente ao lado de um policial. Nós estávamos no carro da minha avó, fazendo umas letras no trânsito, quando dois caras encostaram de moto. Um deles apontou um 38 canela grossa para mim... Abaixei o vidro e entreguei o meu relógio. Quando os bandidos fugiram, o Fabio (que sempre está armado) tirou a arma e apontou, mas na mesma hora eu disse: "Esquece, já foi...".

Até hoje ele me diz que aqueles bandidos devem a vida a mim!

1. Justin G. Tentler; 2. Supla e Justin, em Nova York, nos anos 90; 3. João, Justin e Supla, antes da passagem de som em um show na Filadélfia.

JUSTIN, MEU AMIGO INTELECTUAL

JUSTIN G. TENTLER. Grande parceiro de letras.

Eu o conheci em 1995, na loja de motos Psycho Cycles, onde eu trabalhava. Ele andava por ali e começou a puxar conversa sobre música e política brasileira. Achei curioso alguém como ele estar andando naquele meio bem american way of life e ter interesse e conhecimento por outra cultura além da americana...

Certo dia ele me convidou para tomar um café em sua casa no Soho. Chegando lá, não acreditei no tamanho da biblioteca, cheia de livros e filmes pique intelectual... O seu padrasto era professor de cinema na NYU [New York University]... Isso explicava.

O Justin é um cara muito culto, com um inglês apurado. Ele entende e conhece de perto a cultura das bandas do hardcore americano e da música em geral, por isso nos damos bem como parceiros nas letras e na amizade também. Ele é coautor de várias letras do Brothers como "Melodies From Hell", "Never Let You Go", "Lucky Girl", "Magic Lantern" e "On My Way", dentre outras. Seguimos fazendo letras mesmo que a distância, pois ele mora em NY e se ocupa de cuidar da mãe e dos negócios da família.

Costumo chamá-lo de Just in Time (bem na hora), pois está sempre atrasado. Ele come, fuma, lê, toca guitarra e filosofa. Fala, fala, fala sem parar a noite toda... e é assim que as músicas saem!

Thanks for the inspiration, Justin!

FOTO BOB GRUEN

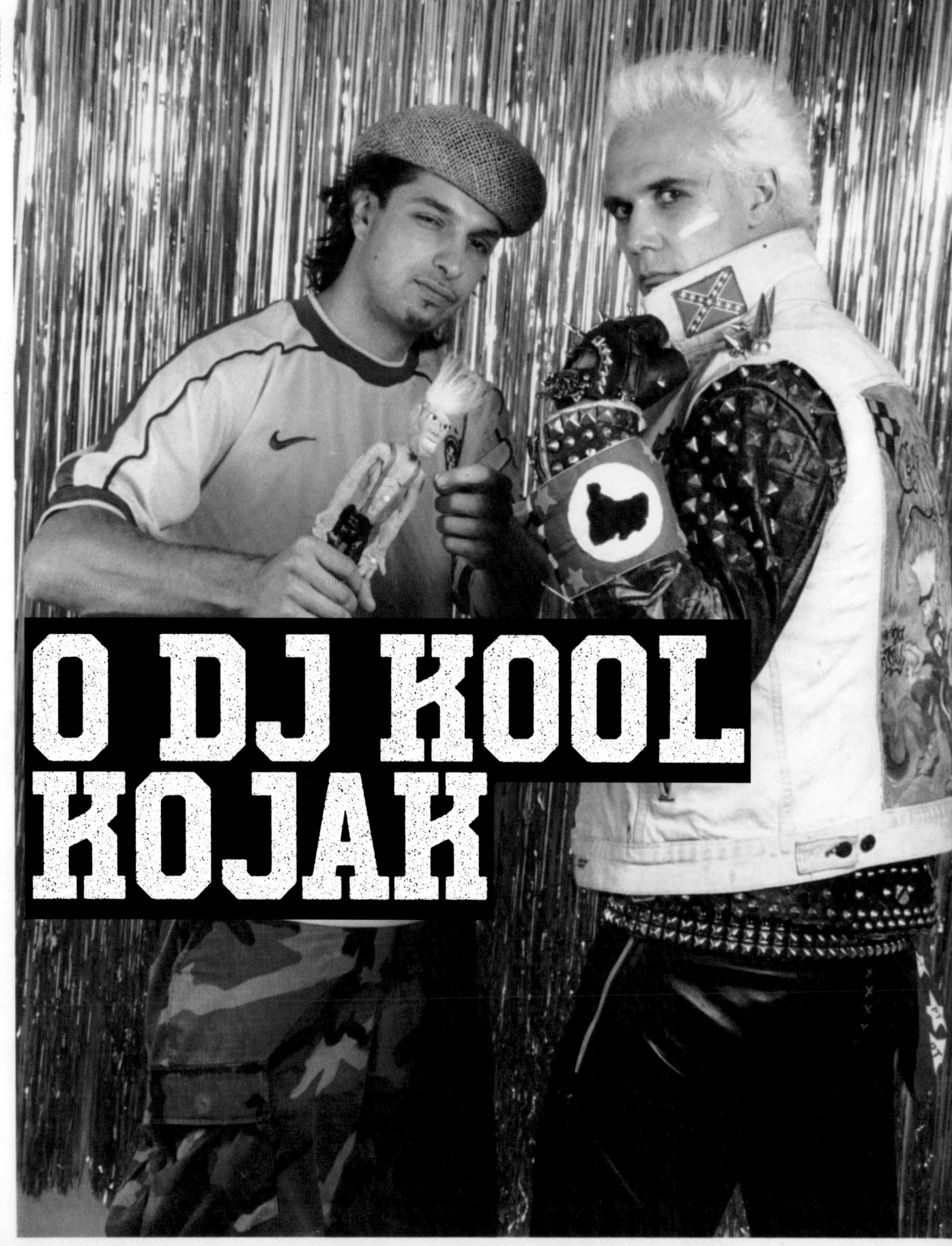

O DJ KOOL KOJAK

094

1. Kool Kojak e Supla, posando para as lentes de Bob Gruen; 2. Supla e "o MPC envenenado do Kojak"; 3 e 4. No estúdio de Kool Kojak no Brooklyn, Nova York.

BROOKLYN, NOVA YORK. Final dos anos 1990.

Nessa época, eu já estava procurando trabalhar com alguém que entendesse a mistura de punk com hip hop e música brasileira! E, por sorte, conheci o cara certo.

Gostaria de apresentar o meu amigo Kojak, um sujeito totalmente louco e muito talentoso! Pra ser sincero, não me lembro exatamente como o conheci... Foi num daqueles dias em que eu estava totalmente emaconhado... Mas de uma coisa eu lembro: eu tinha saído pra fazer um rolê de graffiti com o meu amigo Louie Gasparro. E lá estava a figura... Kojak.

Nesse quartinho aí das fotos, nós criamos boa parte do álbum *O Charada Brasileiro*. Músicas como "Bizness", "Interesseira" e "Interstellar Love" (essa do disco *Bossa Furiosa*) foram construídas com o [gravador] MPC envenenado do Kojak.

O tempo passou... De volta ao Brasil, eu tinha acabado de sair da Casa dos Artistas e, graças ao sucesso do álbum, chamei o Kojak para a turnê.

Ele chegou causando! Eu morava na casa da minha mãe, que na época era a prefeita de São Paulo... O gringo ficou hospedado por lá e fez da casa o seu motelzinho particular! Toda hora era uma mina diferente! Kojak, o típico galanteador ítalo-americano cafajeste!

Ah, seu nome verdadeiro é Afonso! Hahaha.

O ARTISTA LOUIE GASPARRO

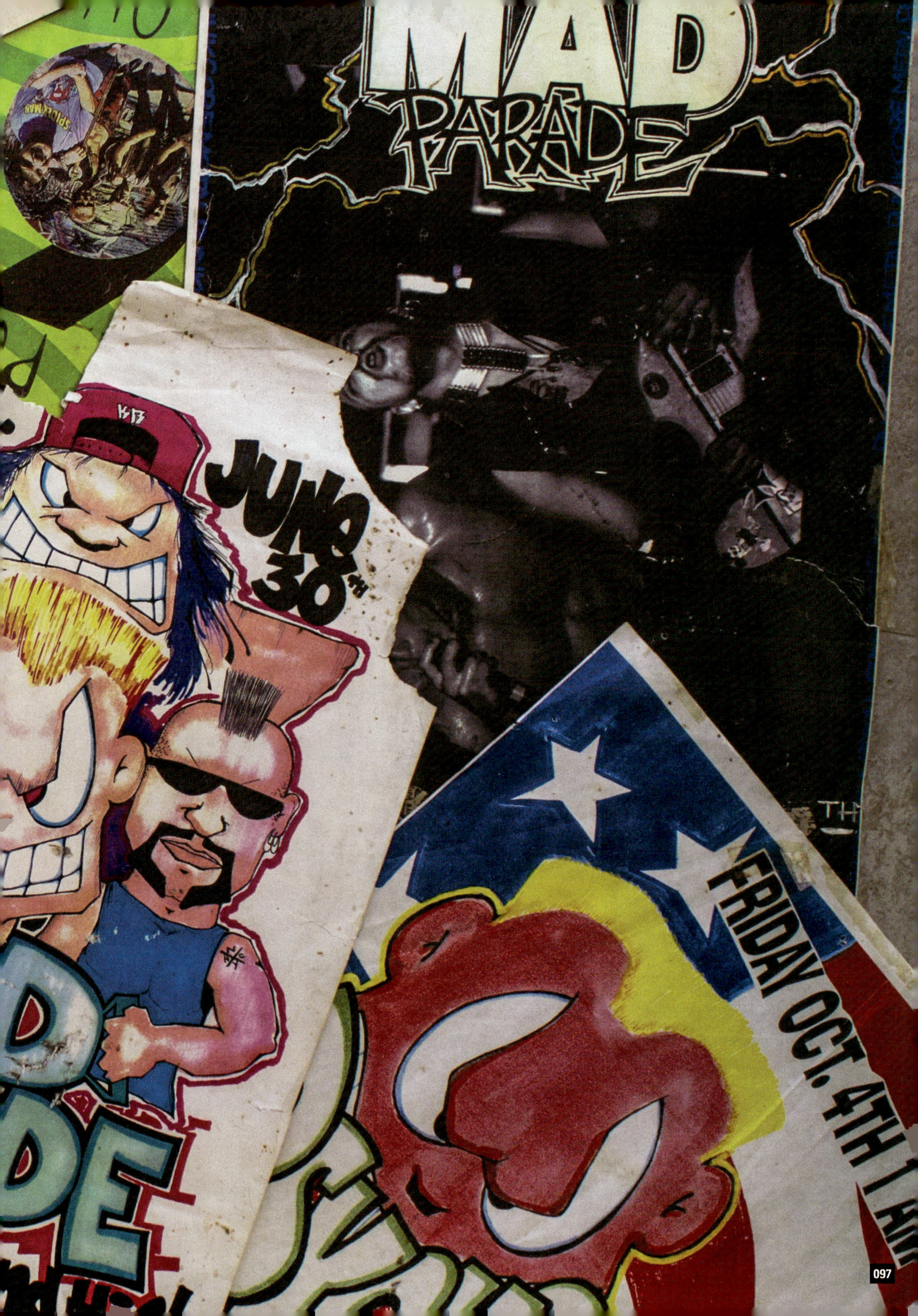
MAD
PARADE
JUNO
30
FRIDAY OCT. 4TH 1 AM

PSYCHO
69!
OPEN BAR
11:00-12:00
1:00 AM SAT. AUG. 3
CONEY ISLAND HIG

TUES
NOV. 24

Psycho 69
MIDNITE...
FORMERLY MAD PARADE...
SAT. FEB 17TH
CASTLE HEIGHTS

Supa Zoo
THE CONTINENTAL
MON. OCT. 18TH 9:00

Todos os cartazes da página ao lado (e das duas páginas anteriores) foram criados por Louie Gasparro, aka KR.ONE;

1. Louie Gasparro e Supla; 2. "Ele realmente foi o meu melhor amigo durante minha época em Nova York", diz Supla referindo-se a Louie, que aparece ao seu lado nessa foto.

ESSE É O CARA!!!

Louie Gasparro, diretamente de Astoria, Queens. Um grande grafiteiro (conhecido como KR.ONE) e um dos melhores bateristas com quem já toquei! Ele é profundo. Fizemos juntos todas as letras do Psycho 69, costumávamos escrever sobre o nosso dia a dia nas ruas, angústias, vontades, relações amorosas e trabalho também. Ele realmente foi o meu melhor amigo durante minha época em Nova York.

No final dos anos oitenta/começo dos noventa, ele tocava bateria numa banda chamada Bliztspeer. O Jimmy Gestapo, do Murphy's Law, sempre teve muito respeito pelo Louie (e ele inclusive chegou a tocar no Murphy's Law por um tempo).

Ele é um grafiteiro bem das antigas, do começo da Street Art em Nova York. Daquela coisa de grafitar nos trens, fazer tags e tal. E acabei tendo todo esse aprendizado da cultura do graffiti com ele.

Louie é o típico ítalo-americano! Ele sempre me convidava para ir almoçar aos domingos na sua casa no Queens, com os seus irmãos... Parecia um filme do tipo que a qualquer momento o Robert de Niro ou o Joe Pesci poderiam entrar pela porta da cozinha! A mãe dele, Miss Gasparro, servia macarrão e batia no meu braço, "Supla, you don't like the food?" (com aquele sotaque italiano). Era muito engraçado!

A galera de Nova York sabia que se alguma coisa acontecesse com o Louie, os irmãos dele quebrariam geral com taco de basebol ou o quê fosse, porque era uma italianada pesada! Ele sempre me dizia "Supla, se alguém zoar comigo, os meus irmãos vão colar e quebrar tudo". O Louie é hardcore, um cara da rua. O irmão dele ficou preso durante nove anos por tráfico. E quando saiu da cadeia, ele costumava ir aos nossos shows. E ele falava pro Louie: "O seu vocalista veio do espaço. Esse cara é muito louco". Ele adorava a banda (Psycho 69). Infelizmente, pouco tempo depois ele morreu assassinado pela polícia, o caso saiu até no (jornal) New York Post e nos deixou estarrecidos. Segundo relatos, ele foi apenas levantar a mão e os policiais atiraram, sei lá quantos tiros... Foi um momento muito triste pra mim.

Hoje o Louie é um pai de família, continua envolvido no mundo da Street Art e ainda toca bateria, apesar de não ter tanto tempo disponível agora. O foco dele é o lance da arte mesmo, tanto nas ruas quanto nas galerias. E é um grande amigo meu até hoje. Amigo de verdade. Aprendi muito com ele.

Muito obrigado, Lu!

FOTO BOB GRUEN

SALVE, JOÃO SALOMÃO!

1. João Salomão (de costas) e Supla, em Nova York, no fim dos anos noventa; 2. A banda Supla Zoo. Da esquerda pra direita: João Salomão, Supla, Greta e Louie Gasparro.

PLA ZOO STYLE

ESTÁVAMOS FAZENDO UMAS FOTOS de divulgação da banda Supla Zoo, na qual o João tocava guitarra e compunha comigo. Ele tinha 16 anos e morava com a mãe (dona Sônia): ela sempre deu a maior força para a banda!!! Estávamos no estúdio do Bob Gruen sendo fotografados... Estou usando a camiseta do Giuliani, ex-prefeito de Nova York... Nela ele está sendo totalmente ridicularizado, com direito a bigodinho Hitler e oszoio saltado. Ele mereceu, pois criou leis que dificultavam todo o funcionamento dos night clubs em Manhattan, tipo licença absurdamente cara para vender bebidas alcoólicas na boate, além da lei do barulho. O cara queria reprimir nossa diversão.

Naquela época, eu trabalhava de *bouncer* (aquele que joga as pessoas para fora do palco quando o negócio fica fora de controle) e sempre observava os donos dos bares reclamando dessas leis. A situação estava ficando insustentável, vários night clubs fecharam, incluindo o que eu trabalhava (Coney Island High).

Gosto do cabelo do João tipo teia de aranha... Hoje em dia ele é um artista, grafiteiro e um *fantastic* guitarrista, que depois saiu tocando com seus amigos do skate na banda Pray for the Soul of Beth pela América e Europa!

Salve, Salomão! Filho do poeta Jorge Salomão.

SUPLA ZOO

1. Com a famosa maquiagem de zebra, posando para a lente de Dede Fedrizzi; 2. Cartaz do show no lendário clube Don Hill's em Nova York; 3. A primeira formação do Supla Zoo no palco do Don Hill's. Da esquerda pra direita: João Salomão (guitarra), Mackie Jayson (bateria), Supla (vocal) e Greta (baixo); 4. Ensaio do Supla Zoo em Nova York. Da esquerda pra direita: Jay (baixo), Kojak (teclados), Supla (vocal), João Salomão (guitarra) e Louie Gasparro (bateria); 5. Matéria no Jornal da Tarde noticiando a chegada da bossa furiosa ao Brasil; 6. Mesa de som em Nova York.

SUPLA VOLTA COM A 'BOSSA FURIOSA'

Ele se apresenta hoje com sua nova banda no Moinho

O "camaleão" brasileiro Supla está de volta à música com nova banda, som diferenciado e visual cada vez mais carregado e psicodélico. Morando há alguns anos em Nova York, o filho dos políticos Eduardo e Marta Suplicy deixou o grupo punk Psycho 69 – que esteve no País abrindo a turnê dos Ramones, em 1996 – e montou no início deste ano o grupo 2ZOOU4. Hoje, ele se apresenta no Moinho Santo Antônio.

Segundo Supla, sua nova banda segue o estilo batizado por ele mesmo de "bossa furiosa". Um gênero que une bossa nova com hardcore, punk e hip hop. "Eu saí do Psycho porque o guitarrista Steg era um cara muito louco e não dava para continuar com ele. Desde que mudei para os Estados Unidos queria fazer essa 'bossa furiosa'. Agora, surgiu a oportunidade."

Além de Supla (que, a exemplo de quando iniciou sua carreira musical, também toca bateria), o 2ZOOU4 é formado pelo baterista Macke (ex-Cro Mags), a baixista Greta (que gravou alguns trabalhos com o L7) e o guitarrista brasileiro João, de 17 anos.

Este será o quinto show do 2ZOOU4. Antes, a banda realizou três apresentações em Nova York e uma no bar paulistano Black Jack na sexta-feira. "Ainda estamos no início do grupo, mas já estamos conseguindo boa receptividade por parte dos fãs. Em Nova York, duas gravadoras independentes se interessaram em gravar nosso trabalho."

No show de hoje, Supla deve tocar cerca de dez canções. Da época do grupo Tokyo, o cantor deverá apresentar *Humanos* e *Garota de Berlim*, ambas já no "formato" bossa furiosa. "Este estilo também engloba toques de hip hop, samba e hardcore. Nossas letras são em inglês porque moramos nos Estados Unidos, mas a base é brasileira."

De seu novo trabalho, Supla tocará canções como *Biquini Ecstasy* (uma música sobre Cuba) e *Moonkey Copacabana Beach Banana*.

Marcos Filippi

2ZOOU4. Hoje, às 23h. Moinho Santo Antônio (R. Borges de Figueiredo, 509, Mooca, tel.: 291-3522). Ingresso: R$ 15

MORANDO EM NOVA YORK na década de 90, assisti a muitos shows de diferentes estilos de bandas. Toda essa diversidade musical me contagiou e serviu de inspiração para que criasse uma nova persona. Eu já havia desenvolvido no Brasil o estilo bossa furiosa, que foi interrompido justamente por conta da minha mudança para NY e da minha paixão pela energia crua do Mad Parade – que depois virou Psycho 69, banda no estilo metalpunkcore.

Então resolvi retomar o estilo de música brasileira e rock and roll, incorporando elementos afros, com os quais tive contato durante uma viagem que fiz em família para a África do Sul. Eu me apresentava usando maquiagem de zebra e fazendo movimentos de capoeira. Foi a fase Supla Zoo Style.

A banda era formada por Mackie Jayson na bateria, que já tinha tocado no Cro-Mags e Bad Brains; Greta no baixo, menina loira e canhota que tocou com a Debbie Harry (Blondie), e João Salomão na guitarra. Na gravação do Supla Zoo quem acabou tocando foi o Louie (Gasparro), porque o Mackie teve que sair em turnê com o Cro-Mags. O Kojak também participou dessa gravação.

A banda atingiu uma boa visibilidade dentro do cenário, tocou bastante em Nova York (e arredores) e também chegou a tocar no Brasil. E bem quando começamos a chamar a atenção de algumas gravadoras a Greta recebeu o convite para tocar com o Moby, no auge da carreira dele, na época do álbum *Play*. Pouco depois disso eu voltei para o Brasil, para retomar a minha carreira por aqui. E tudo isso levou ao fim da banda.

Ficam as lembranças dessa fase e dessa persona. Supla fucking Zoo Style!

Obs. Ainda conseguimos emplacar uma de nossas músicas – "Monkey Copacabana Beach Banana" – no filme Bossa Nova, *de Bruno Barreto.*

TATTOOS FOR MEN #9

K 46310

SPECIAL SECTIONS:

Native American Designs

You've Got The Skin We've Got The Ink

EU SÓ TENHO UMA TATUAGEM

Corporate Ink

$4.99 US • $5.99 CAN • £2.99 UK • $7.50 AUS

Retailer, this is a special issue. Please keep on sale until Jan. 8, 1996.

AND LOTS MORE!

1. Supla na capa da revista norte-americana Tattoos for Men; 2. O Papito aos 17 anos, na Guarda do Embaú (SC), em abril de 1983. Detalhe para a tatuagem do cavalinho alado no braço direito, que pouco tempo depois recebeu a cobertura da Morte numa viagem a Los Angeles.

EU TINHA 14 ANOS e meu rolê era ir no Gimba, uma lanchonete no Jardim Europa (São Paulo) frequentada por toda a surfistada. Um dos meus melhores amigos, o Cinira, que também pegava onda, tinha acabado de fazer uma tatuagem, e eu fiquei na fissura de ter uma também... A vontade era tanta que nem pensei nas consequências!

Fui no legendário tatuador Marco Leoni e fiz um cavalo alado. Eu gostava de cavalos, então... Triste ideia! Minha mãe olhou para a tattoo e perguntou: "É de mentira, né? Eu te fiz com tanto amor pra você estampar esta porcaria!"

Ao longo dos anos, comecei a achar o meu cavalinho alado um pouco *soft*, não estava mais combinando com minha imagem de roqueiro. Aos 18 anos, quando fui visitar a Nina Hagen em Los Angeles, logo na primeira semana cobri o cavalo alado com a Morte, pois na minha lógica a única coisa que nós temos certeza nesta vida é que todos vamos morrer!

Hoje em dia não me arrependo, e posso até fazer mais algumas... Os meus amigos tiraram o maior sarro quando eu saí na capa da revista americana Tattoos for Men, pois só tenho uma tatuagem, mas a direção da revista achou sexy... Dei risada.

FOTO ARQUIVO PESSOAL SUPLA

1

GREEN HAIR (JAPA GIRL)

1. A Green Hair assistindo a um show do Psycho 69 em Nova York; 2. A estonteante Japa Girl no camarim do Palace, no show de lançamento do álbum *O Charada Brasileiro*.

A GREEN HAIR menina do cabelo verde foi uma grande paixão que tive logo quando mudei para Nova York, em 1994. Ela era linda... Nunca vou esquecer, cabelo liso preto até a bunda, com mechas verdes, muito branca de pele com um batom vermelho sangue drácula. O pai dela era um bombeiro aposentado do Bronx de descendência irlandesa, e a mãe porto-riquenha tinha sido *backing vocalist* de nada mais, nada menos do que Tito Puente! Já imagina, né? Parada quentíssima!

Eu a conheci numa praça chamada Tompkins Square. Comprei uma bala de tutti frutti em forma de lábio e entreguei para ela. Era fim de tarde, e à noite estávamos comendo sushi na minha casa e depois...

A música ficou conhecida aqui no Brasil como "Japa Girl", pela tiração de sarro que o Marcos Mion fez dos meus movimentos de karatê no clipe que passava na MTV, mas a canção e o vídeo são muito mais do que isso para mim... O clipe captava o cenário gótico e punk dos verdadeiros personagens da cena de Nova York, especialmente entre as garotas. Quando comecei a desenvolver a letra, achei que estava ficando uma música de amor meio boba, então decidi inserir todas as meninas com as quais eu estava tendo um casinho, tipo Purple Hair, Shaved Head, Gothic Girl from the Bronx, Sara, Noel e a famosa Japa Girl. Gravei a música num banheiro gigante, com uma acústica fantástica, na casa do meu amigo Eugene.

Lá em Nova York, tinha um velhinho chamado Arthur que não parava de fumar maconha e me dizia que essa combinação de japonesa com mulher brasileira era maravilhosa. Ele tinha razão: a música acabou ficando mais famosa como "Japa Girl" do que como "Green Hair".

A BANDA HOLLY TREE

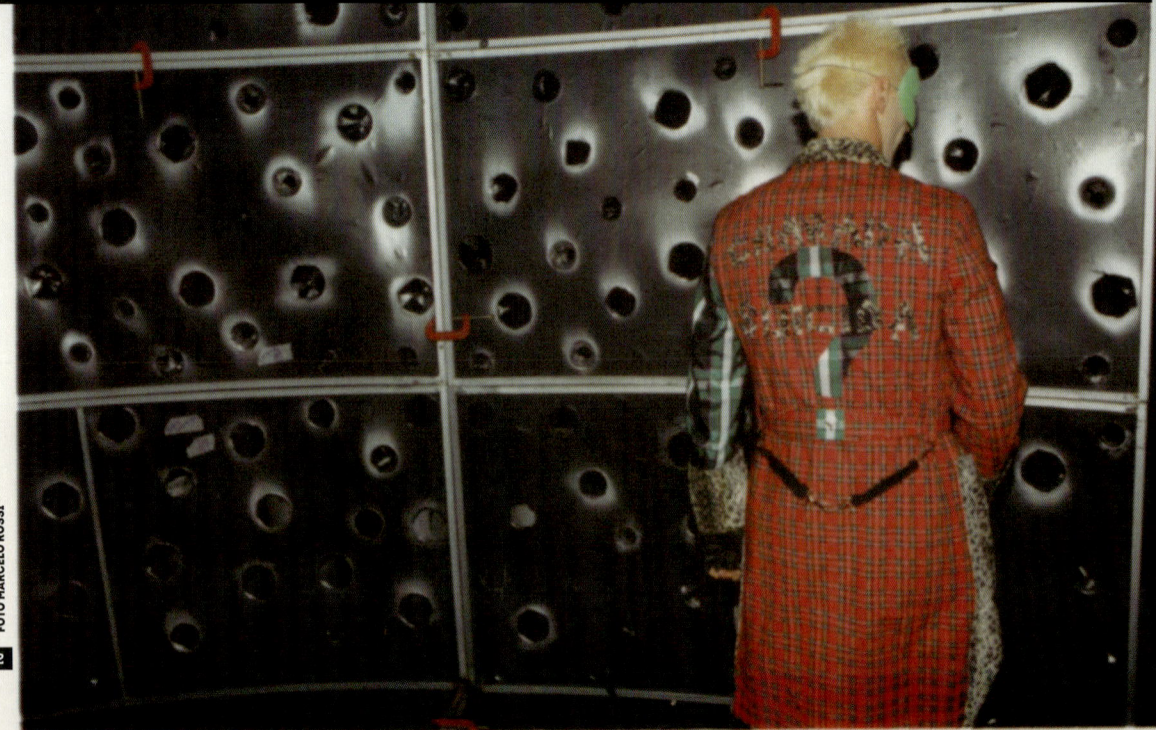

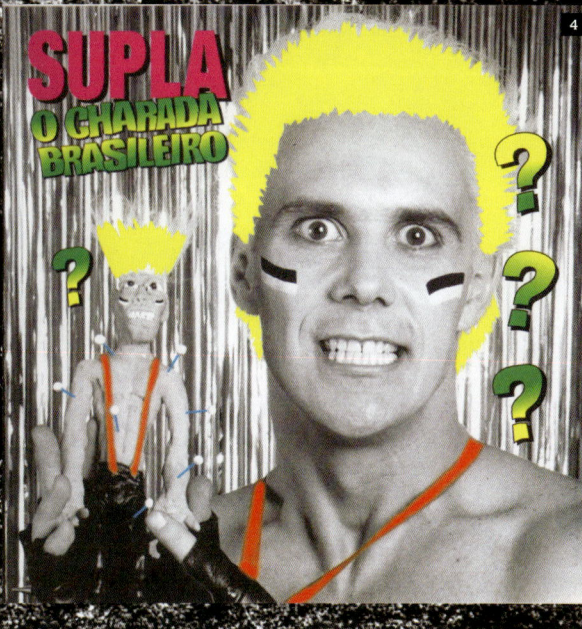

1. Banda reunida no backstage. Da esquerda pra direita: Paulo (percussão), Zé (bateria), Supla (vocal), Kojak (teclado e MPC), George (guitarra) e Tito (baixo); 2. Supla concentrado, minutos antes de subir ao palco do Palace para o lançamento de *O Charada Brasileiro*; 3. Supla e George; 4. Capa do disco *O Charada Brasileiro*, que vendeu 700 mil cópias em bancas.

CONHECI O HOLLY TREE andando na rua... O guitarrista George me chamou a atenção, ele parecia um Robert Smith mais punk! Além dele, o trio era formado por Zé na bateria e Tito no baixo. O Holly Tree era punk rock, bem como manda o figurino, tinha um bom *following* aqui no Brasil... e eu precisava de uma banda! Fizemos as primeiras apresentações no Mundo Mix, em 2001, e deu liga. Eles tocavam bem, eram estilosos e ficavam rindo o tempo inteiro, tipo criança feliz mas não idiota.

Na real, tinha mais afinidade com o George, e escrevemos algumas letras juntos: "Qual o seu veneno?", "O Charada Brasileiro", entre outras. Ele também viajou comigo para a Alemanha e deu várias ideias para o segundo clipe de "Garota de Berlim" (2001) com participação de Nina Hagen e dirigido por Mauricio Eça.

Chegamos até a tocar no Rock in Rio e abrimos o show com a música "São Paulo"! Pensei, "Nossa, a galera vai xingar a gente"! Mas pelo contrário, deu muito certo! Até a Cássia Eller veio nos elogiar.

Quando entrei para a Casa dos Artistas, eles não acreditaram (nem eu), pois não tinha contado a ninguém. O pessoal do SBT pediu sigilo total e, de repente, meu nome e minha música "Japa Girl" tinham estourado na mídia. Depois que saí da Casa, fizemos muitos shows e *O Charada Brasileiro* vendeu tipo uns 700 mil álbuns só nas bancas (golpe na indústria musical). Vale lembrar que a música "O Charada Brasileiro" surgiu de uma brincadeira, mas que ficou séria. Ninguém poderia esperar todo aquele sucesso... ainda mais com o Silvio Santos fazendo os gestos da Japa Girl!

O Holly Tree ficou como minha banda de apoio por mais ou menos um ano. No finalzinho da turnê rolou um desentendimento entre eles. E depois disso cada um seguiu seu rumo. Foram bons tempos!

FOTO: JOJO B. DA SILVA

SILVIO SANTOS,
O VERDADEIRO CHARADA BRASILEIRO

Supla e Silvio Santos no Troféu Imprensa de 2003.

FOTO JOÃO B. DA SILVA

CERTO DIA, por volta do ano 2000, recebi um convite do Silvio Santos para participar de um programa de televisão que ninguém sabia direito do que se tratava... Era a tal da Casa dos Artistas, o primeiro reality show do Brasil. Ele mandava e desmandava no programa, mudava as regras do jogo e nós éramos suas cobaias. Mesmo assim, sou muito grato a ele por ter me dado a oportunidade de trabalhar na televisão brasileira.

Logo após a Casa dos Artistas (o programa foi exibido no segundo semestre de 2001 e eu terminei em segundo lugar) nós mantivemos uma boa relação. Em 2004, estive presente no encontro dele com o meu pai e o Zé Celso, no qual conversaram a respeito do terreno onde fica o Teatro Oficina (no bairro do Bixiga, em São Paulo). Depois do encontro, dei um rolê de carro com o Silvio pela Bela Vista, mostrando o som do meu álbum *Menina Mulher*, que tinha acabado de sair. Na música "Verão de Dezembro", ele gostou da parte que falava "Parecia a Brigitte Bardot / Até meu pai me elogiou / E me disse / Filho, com essa menina, eu viro até avô".

Recentemente, fui ao seu programa e levei a Conceição que trabalha em casa para conhecê-lo, pois ela é muito fã dele. Chegando no camarim, ele foi um *gentleman*, sabe tudo, olhou pra Conça, apresentou-se na humildade e disse: "Vamos tirar uma foto!"

O coração dela está derretido até hoje!

Supla não é PT, mas votará em seu pai

Suplicy vive sua noite de roqueiro

POLÍTICA NÃO É SÓ NO CONGRESSO!

Junto com os grupos de rock que desembarcaram ontem em Ribeirão Preto para um show ao ar livre, estava o filho do deputado federal, Eduardo Suplicy, conhecido como Supla (foto). Vocalista do grupo "Tokyo", ele disse que não é PT, apesar de achar que é o partido com propostas mais concretas para uma mudança social, mas votará em seu pai para governador, nas próximas eleições. (página 5)

No show do filho, Suplicy dá show

SUPLA & SUPLICY

O figurino não muito convencional para o plenário do Senado, nem para o Salão Verde da Câmara, onde se exige paletó e gravata quando a Casa está em sessão. Mas para o roqueiro Supla foi aberta a mesma exceção que no passado permitiu ao pop star Sting desfilar pelo plenário da Câmara. Artista convidado para o Brasília Music Festival, Supla aproveitou a estada na cidade e levou toda a sua banda para visitar o pai, o senador Eduardo Suplicy. Os dois e os demais componentes da banda almoçaram no restaurante do Senado e fizeram um tour pelo Congresso. NO plenário do Senado, vazio, foi fácil. Mas, na Câmara, Supla foi cercado por fãs que participavam de uma sessão solene que reuniu dezenas de adolescentes — o público mais fiel de Supla. "Vamos embora, não podemos atrapalhar a sessão", disse o filho, com total aprovação do papai Suplicy.

pais-candidatos Marta e Eduardo cumprimentam o filho Supla

MUITA GENTE vem me perguntar se vou me candidatar algum dia... Acho interessante a política no sentido de ver deputados e senadores no Congresso discutindo leis, mas, na minha opinião, a política vai muito além disso. Ela está em nossas vidas e em nossas relações sociais, e a minha forma de fazer política é na música.

O mais importante é você saber se colocar nos sapatos das outras pessoas, e não ficar pensando apenas em si mesmo. E tento passar essa mensagem com as minhas músicas. Também acho fundamental se posicionar em relação às coisas. Por exemplo, na música "Parça da Erva" eu assumo uma posição pela legalização da maconha. Acho ridículo uma pessoa ser presa por fumar um baseado na rua e tomar um apavoro de um policial. É por isso que fiz essa música e o clipe. Então, é isso, política não é apenas no Congresso: você também pode agir politicamente de outras formas. No meu caso, através da arte.

Sendo filho de políticos, algumas imagens surgem na minha cabeça, como a do Paulo Maluf com aquele dedo gordo apontado para a minha mãe, chamando-a de "Dona Marta do PT" num debate... Parecia uma comédia o jeito que ele falava, e minha mãe respondia "Cala a boca, Maluf!". Era engraçado, pois ele não estava acostumado a ver uma mulher respondendo...

Quando a minha mãe foi candidata ao Senado, fiz um jingle para ela. Tive a ideia da música e escrevi a letra junto com o meu parceiro Fabio Bopp. A inspiração veio dos Beatles tocando "Hey Jude": o vídeo começa com os filhos cantando a canção, vão entrando outras pessoas até surgir minha mãe no meio de todos. Funcionou! Ela foi eleita.

Achei maravilhoso quando o meu pai citou uma música do Racionais MC's em uma sessão do Senado. Ele na verdade estava muito mais em contato com a realidade brasileira do que todos aqueles engravatados de Brasília. O trabalho do político não é ficar só no escritório, e sim nas ruas e nas vidas das pessoas, para realmente saber o que está acontecendo. Ele captou a voz do povo e levou para o Senado! "A voz verdadeira da rua é essa! E se vocês não estão ligados... Pá! Pá! Pá! Pá! Fiquem ligados!".

No Prefácio deste livro, a minha mãe relembrou a minha insatisfação de adolescente com as reuniões políticas que aconteciam lá em casa nos anos 1980... "Que saco aguentar esses caras aqui em casa", eu dizia, e lembro que isso foi inclusive veiculado numa campanha. A política sempre foi tão presente na minha vida, na minha casa, que talvez isso tenha até contribuído para o meu afastamento. Pô, acordava de manhã e os caras estavam ali: era um comitê na sala da minha casa! E isso de algum modo me levou para outro mundo. Por outro ângulo, também reconheço o privilégio de estar ali, foi um aprendizado que nem todas as pessoas têm a chance de ter. Quer dizer, você não vai aprender isso na faculdade! Foi uma oportunidade única e agradeço por isso, mas na época achava tudo muito chato!

"Tem o PT, PSDB, PMDB e o DEM / O PTB, o PSB, PR e sei lá mais quem / É mensalão, mensalinho, ele é meu amigo, ele é meu padrinho / Na eleição prometeu mas depois no seu bairro nunca apareceu / Tem o PT, PSDB, PMDB e o DEM / O PTB, o PSB, PR e sei lá mais quem / Vai se foder! Vai se foder! Vai se foder!" (trecho de "Tudo pelo Poder", música do Brothers of Brazil com letra de João Suplicy, Supla e Fabio Bopp)

EU SOU O MEU EMPRESÁRIO

1. O workaholic Supla: sempre trabalhando, o tempo inteiro ligado; 2. Mesa de trabalho em Nova York.

ACREDITE, EU SOU O MEU EMPRESÁRIO.

Sei exatamente aonde quero ir.

Quem conversa com as pessoas de televisão, rádio, gravadoras ou até a editora que publicou este livro sou eu mesmo! Estou sempre no corre... Sou viciado em trabalho... Toda hora, todo lugar, não importa, estou sempre pensando em uma nova música, em como fazer um som não manjado e que ao mesmo tempo toque as pessoas.

Hoje em dia, faço acordos com contratantes e promotores de shows, e assim vamos caminhando! Isso tem conexão com a raiz do punk: faça você mesmo e não fique na dependência dos outros! É uma maneira de ter a noção exata do que está acontecendo na sua carreira. Sim, dá muito mais trabalho, mas pelo menos as coisas saem do jeito que você quer!

No passado, já tive empresários, mas sempre achei que eles deixavam um pouco a desejar. O trabalho do empresário não é apenas pegar o telefone e vender shows; o trabalho do empresário é criar coisas para atrair o público. Ideias! Ter ideias! Trazer algo novo para a mesa!

A verdade é que sempre tive muita iniciativa. Por exemplo, o meu primeiro papel na Rede Globo rolou porque eu fui atrás do roteirista. Arrumei o telefone do cara, liguei e disse "Posso ir até o Rio de Janeiro pra tomar um café?". No dia seguinte já estava fechando minha participação na minissérie Sex Appeal. É importante o trabalho do empresário, claro, mas acho que o artista precisa ter iniciativa e atitude.

Sou workaholic. Não acredito nessa coisa de tirar férias, acho chato. De vez em quando até falo "Ah, preciso de férias". Mas dura pouco, e quando vejo já estou trabalhando novamente. Eu gosto de trabalhar. Essa é a vida do artista: estar o tempo inteiro ligado.

1. O Tokyo no palco do MASP, em 1986, no momento da música "Programado"; 2. Registros do show de lançamento do disco *O Charada Brasileiro* no antigo Palace em São Paulo; 3. "Meu segundo Rock in Rio, em 2001", relembra Supla.

FOTO ARQUIVO PESSOAL SUPLA

ONDE A MÁGICA ACONTECE

AMO O PALCO, realmente adoro ver performances.

Tive a oportunidade de ver o show do Bowie na turnê do álbum *Let's Dance*: a iluminação era impecável e dialogava com os gestos e a postura do cantor. Grande inspiração! Também não posso deixar de citar que, no mesmo ano (1983), tive a chance de ir pra Nova York e fui ao CBGB. Lá vi pela primeira vez a movimentação de um show hardcore. Um monte de gente se batendo e parecia que estavam cantando as verdades do dia a dia. Aquilo me tocou profundamente. Então, minha inspiração foi uma mistura do show teatral do Bowie com a energia do punk/hardcore. Isso virou parte de mim.

Sempre achei muito importante ter uma expressão corporal, usei elementos dos esportes que praticava (como capoeira e boxe) para criar o meu estilo. O palco é onde você realmente pode se expressar, um momento único e não tem replay, não tem "corta, corta!". Pode ser no Rock in Rio para 200 mil pessoas ou num clube underground na Rua Augusta: eu me entrego 100%! É onde a mágica acontece. Ali a gente pode ver quem é e quem não é.

Vou relembrar aqui três momentos marcantes que vivi no palco, em diferentes fases da minha trajetória: com o Tokyo (no MASP), com o Psycho 69/Supla Zoo (no CBGB) e com o Brothers (em Michigan).

TOKYO NO MASP

ESSE SHOW FOI UM DIVISOR DE ÁGUAS para o Tokyo e para a minha carreira. Muitos artistas do rock nacional da época (1986) estavam presentes nesse dia: Rita Lee, Ira!, Titãs, Ultraje a Rigor, Zero, Metrô, entre outros. O nosso empresário percebeu o lado teatral da banda e investiu num equipamento de luz legal e também numa estrutura de palco – e isso fez toda a diferença. Foram quatro noites *sold out*! A 89 FM inclusive tem o registro dessa apresentação. Realmente um momento marcante para a banda.

1. O show que foi um divisor de águas na carreira do Tokyo. "O MASP foi realmente um momento marcante para a banda", diz Supla; 2. A resenha do show diz que o Tokyo passou com boa nota no teste de sobrevivência em palcos; 3. "Casamento do Uncle Al com minha amiga Ligia". Figuras carimbadas da cena hardcore estão nessa foto, como Jimmy Gestapo (Murphy's Law), Freddy (Madball) e Steve Poss; 4. Sangrando no palco do Continental, em NY. "Cortei minha mão na primeira música tocando um treme terra de torcida"; 5. Supla e Daniel Rey, produtor que trabalhou com os Ramones e também na carreira-solo de Joey Ramone; 6. Com o Supla Zoo no CB's Gallery; 7. Os Brothers em Pontiac (Michigan).

NO TEMPLO DO PUNK

O LENDÁRIO CBGB. Com o Supla Zoo cheguei a tocar no CB's Gallery, onde ocorriam exposições e apresentações mais experimentais, e toquei também no clássico CBGB que todo mundo conhece, em shows com o Psycho 69. Diversas vezes! O lugar podia ser um buraco, mas o som era muito quente, bom de verdade! Então, posso dizer que toquei no mesmo lugar onde tocaram AC/DC, Police, Ramones, Television, Blondie, Talking Heads... Mas, ao mesmo tempo, depois de tanto tocar lá tornou-se só mais um lugar.

HÁ 46 ANOS EM MICHIGAN

EM 2012, estava em turnê com o Brothers of Brazil - abrindo para o Adam Ant em Pontiac (Michigan) - e rolou uma entrevista antes do show. Um repórter veio falar conosco, e não sei como ele descobriu que éramos filhos de políticos brasileiros que estudaram em Michigan. Eu tinha passado uma boa parte da minha infância lá, quando o João ainda nem era nascido...

Naquele dia, o teatro estava lotado. Após a nossa segunda música, contei para o público que éramos do Brasil e que 46 anos atrás eu frequentava o jardim de infância na escola pública da região. Disse ainda que para mim era uma honra estar tocando lá para eles... A plateia veio abaixo e nos abraçou... Ao mesmo tempo me senti perto e longe de casa.

FOTO DAVID HELMAN

A ROQUEIRA RITA LEE

1. Supla faz uma participação no show de Rita Lee no Parque do Ibirapuera, na música "Orra meu"; 2. Rita Lee, Supla, Beto Lee e Roberto de Carvalho.

EU TINHA 13 ANOS quando vi a Rita Lee pela primeira vez, num show no teatro do Anhembi, em São Paulo. Pensei que ela era uma espécie de Mick Jagger em forma de mulher! É muito inspirador ver uma roqueira fazendo um som, ela definitivamente sabe como ser empolgante e tem coisas a dizer com bastante humor e categoria.

Na época do Tokyo, fiquei sabendo por um amigo em comum que a Rita Lee gostava de me assistir no programa do Chacrinha. Algum tempo depois disso, tive a oportunidade de conhecê-la pessoalmente. Fui até a sua casa, faz muito tempo, nem sei se ela se lembra... Enfim, ela e o Roberto (de Carvalho) foram super gentis comigo. Um dos filhos do casal, o Beto Lee, virou meu amigo e ia aos meus shows no Projeto SP com o cabelo descolorido igual ao meu... Eu achava isso muito legal!

Quando voltei dos EUA, ela me convidou para cantar num dos seus históricos shows no Parque do Ibirapuera. Cantamos juntos a música "Orra meu", de 1980, aquela que diz que "roqueiro brasileiro sempre teve cara de bandido"!!! Foi uma grande honra! Obrigado, Rita Lee! *Love ya*!

Salve a rainha do rock nacional!

FOTO COM DEUS E O MUNDO

1

FOTO ARQUIVO PESSOAL SUPLA

2

FOTO ARQUIVO PESSOAL SUPLA

3

FOTO RICARDO TOSCANI - VOGUE BRASIL - EDIÇÕES GLOBO CONDÉ NAST

4

FOTO MIDORI DE LUCCA - VOGUE BRASIL - EDIÇÕES GLOBO CONDÉ NAST

AS PESSOAS PEDEM MUITO para tirar foto comigo, e eu tiro com o maior prazer, pois eu também gosto de tirar foto com as pessoas que eu admiro... Mas temos de ter educação acima de tudo, pois ninguém é obrigado a tirar foto com ninguém!

Quando tirei a foto com o Joey Ramone, dos Ramones, nós (Psycho 69) éramos a banda de suporte na turnê, e achei que seria legal ter essa recordação daqueles dias. Em outra oportunidade, o Psycho 69 abriu o show do Dee Snider (Twisted Sister) no Limelight, em Nova York, e também foi a mesma situação: registrar aquele momento de rock and roll.

Com a Debbie Harry (Blondie) foi muito legal! Eu já tinha a conhecido em NY, mas apenas socialmente, e então, num belo dia, o telefone tocou aqui em casa no Brasil e era ela falando... "Hi, this is Debbie". Eu falei, "What?!". Não acreditei... Fomos juntos numa festa da Vogue.

A foto com o Billie Joe do Green Day (próxima página) foi em New Jersey, nos EUA. O Bob Gruen havia me convidado para ir com ele assistir ao show da banda. Nessa época, eu fazia o programa Brothers na RedeTV! e na hora pensei: "Eu não quero uma foto com eles, eu quero é entrevistá-los!". Eu já conhecia o Billie Joe de vista, então decidi arriscar e perguntei "Posso te entrevistar para o Brasil?". Ele virou para os seus colegas de banda e disse "Vou dar uma entrevista, tudo bem?". Eles balançaram a cabeça positivamente e rolou. Na verdade, devo essa entrevista ao Bob, pois eles o respeitam muito. Uns dois anos depois disso, o Mike [Dirnt], baixista do Green Day, assistiu a uma apresentação do Brothers em São Francisco e comentou com o João: "Quando precisarem de um baixista é só chamar!".

Já tirei foto com Deus e o mundo! Também rolaram cliques com Caetano Veloso, ZZ Top, Alice Cooper, MC Brinquedo, Robinho, Palmirinha, Yoko Ono, Mike Ness (Social Distortion), Patti Smith, a jogadora Marta, entre muitos outros.

Por outro lado, também tive momentos com pessoas bem famosas que preferi que ficassem apenas na lembrança... A Amy Winehouse foi um desses casos... Ficamos jogando sinuca por horas e horas num pub em Londres, junto com uma amiga dela (uma loira peituda que não lembro o nome) e o meu irmão João, de quem a Amy tinha gostado. Sem fotos, apenas o registro na memória.

---

1. O Psycho 69 abriu para o Widowmaker em Nova York e Supla aproveitou para confraternizar com Dee Snider após o show; 2. Supla e Joey Ramone, no camarim do Olympia em 1996, quando o Psycho 69 fez os shows de abertura da última tour dos Ramones no Brasil; 3 e 4. Debbie Harry e Supla em uma festa da Vogue Brasil.

A lista completa das pessoas que aparecem nas fotos pequenas está nos Agradecimentos, no final do livro.

FOTO BOB GRUEN

FOTO VIRGINIA FONSECA

1. Com Yoko Ono em uma festa de Natal na casa da mãe de Mark Ronson em Nova York; 2. João Barone, Supla e Roger durante a gravação da música "Encoleirado" no estúdio Voz do Brasil, em 1991. Barone foi o produtor do álbum; 3. Cauby Peixoto e Tokyo, reunidos antes da gravação da música "Romântica". "Cauby, um gentleman... eu achei que a combinação ia ser bizarra e fantástica. Ele cantou muito na gravação, na hora ficamos impressionados com sua entonação", relembra Supla; 4. Supla com Billie Joe Armstrong do Green Day, no backstage do PNC Bank Arts Center, em Holmdel, New Jersey. 14 de agosto de 2010.

FOTO MATEUS MONDINI

WE ARE THE BROTHERS OF BRAZIL

1

FOTO MATEUS MONDINI

2

FOTO MATEUS MONDINI

128

1. João e Supla, os Brothers of Brazil; 2. Foto para o encarte do segundo álbum do duo, autointitulado; 3. Abrindo para o Flogging Molly nos EUA; 4. Entrevista no estúdio da Kiss FM em São Paulo; 5. Os Brothers e o Cristo Redentor; 6. No palco do lendário 100 Club em Londres.

MESMO ANTES DO NASCIMENTO do Brothers of Brazil eu já vinha flertando com a bossa nova, pois estava um pouco cansado dos mesmos acordes do rock and roll (apesar de vivê-los 25 horas por dia). Então, tive essa ideia, e comecei a ter aulas que se baseavam em aprender a música dos Beatles em notas de bossa nova. Foi algo realmente interessante, pois me abriu diferentes campos harmônicos para novas melodias.

Resolvi chamar o meu irmão para tocar junto comigo, pois ele já tinha um vasto conhecimento de música brasileira e de rock também. Uma curiosidade: quando éramos mais jovens, apesar de morarmos juntos na casa dos meus pais, não fazíamos um som... Ele apenas curtia a minha banda Tokyo e chegou a tocar (divinamente, por sinal) em algumas músicas acústicas no álbum Suplazoo.

O nosso primeiro show como duo foi em Londres. Eu estava na Inglaterra para fazer um trabalho como repórter para o SBT, e o João também estava por lá para tocar com o projeto de bossa nova que ele tinha na época. E aí, como estávamos os dois em Londres, decidimos fazer um show para curtir, chamar os amigos e tocar uns covers. E fizemos esse show no [clube] Made in Brazil, com o Bernard Rhodes (ex-empresário do The Clash) na plateia! Depois da apresentação, o Bernard disse pra gente: "O nome da banda é Brothers of Brazil". Nós gostamos e ficou!

Eu amo o nosso duo! As vozes combinam e a maneira como tocamos parece completar um ao outro. Seguimos em frente e assinamos contrato com uma gravadora norte-americana, a SideOneDummy Records, que logo nos colocou para tocar na Warped Tour, e depois disso não paramos mais... Turnês com The Adicts, Pennywise, Adam Ant, Flogging Molly, Hugh Cornwell, Jesse Malin, shows em festivais como Rock In Rio, SWU, Lollapalooza, Bamboozle no Asbury Park e por aí vai. Como o meu pai gosta de dizer, essa junção foi serendipidade!

Hoje, considero o que fazemos como música de irmão! Não importa se é em inglês, português ou mandarim: é música de irmão!!!

FOTOS THANIRA RATES

Entrevista e apresentação ao vivo no estúdio da BBC em Londres, em 2011. "Foi o auge tocar onde todos os ícones da música já passaram", garante Supla. "A vibração que você sente ao entrar nesse estúdio é emocionante".

ELAS FAZEM

O MEU VISUAL

1. Supla e Eleonore em Nova York. Destaque para a famosa calça "sick/fuck"; 2. Joe Bruno, Supla, Agatha e uma "atriz famosa que não lembro o nome", diz Supla. "Eles estavam assistindo ao show do Supla Zoo no Don Hill's"; 3. Natalia Alves, Supla e Celso Kamura; 4. Dando um trato no cabelo com Morgana e Natalia; 5. Com Ligia Morris (Primal Stuff); 6. Com Tomomi (Camdenlock Clothing).

EU SEMPRE ACHEI MUITO importante ter uma concepção visual, uma ideia bem formada na maneira de se vestir e cortar o cabelo.

Os artistas que mais admiro são aqueles que têm uma preocupação com o estilo. Porém, se você não tem A MÚSICA, não adianta nada, não vai virar... Agora, se você tem a música E o visual, aí a coisa vira mágica.

Ao longo da minha carreira, conheci artistas que fizeram roupas fantásticas para mim. Em geral, sempre foram mulheres com personalidades fortíssimas. A Ligia Morris (da Primal Stuff) é punk e não leva desaforo pra casa. Foi ela quem fez a minha clássica calça de couro com o escrito "Sick / Fuck" nas pernas. A Tomomi, da Camdenlock Clothing, fez os meus jumpers estilo camisa de força. E as minhas primeiras calças de couro foram feitas pela Agatha, que era casada com o Steg (guitarrista do Psycho 69). Eu cheguei a morar um tempo na casa deles em Nova York, antes de me estabelecer no meu apartamento, e ela costumava andar pelada pela casa... Não tomava conhecimento da minha presença, não tava nem aí... Eu ficava envergonhado.

A real é que eu sempre opinei sobre como as roupas deveriam ser desenhadas. Uma vez comprei tecidos coloridos para o Ricardo Almeida e disse a ele que queria os ternos bem apertados... ficaram da hora!

Bom, e tem ainda o meu cabelo...

Eu já venho descolorindo o cabelo desde os meus 17 anos! Já usei todas as cores que você pode imaginar, mas a mais legal para mim é o loiro! Quem cuida do meu cabelo há mais de seis anos é a Natalia Alves, do salão do Celso Kamura.

Na minha infância, eu era loiro tigela tipo Aritana; depois, conforme fui crescendo, fui ficando mais moreno. Mas, como sempre peguei onda, eu queria ficar loiro tipo o surfista Cheyne Horan... Resultado: parafina e água oxigenada direto!

No Brasil, não existiam cantores com o cabelo descolorido. Aproveitei a brecha e ficou meio Billy Bowie!!! Eu já voltei o cabelo pra cor natural, virei Drácula, Motoqueiro Fantasma e o escambau, mas o melhor pra mim é o *blond*!

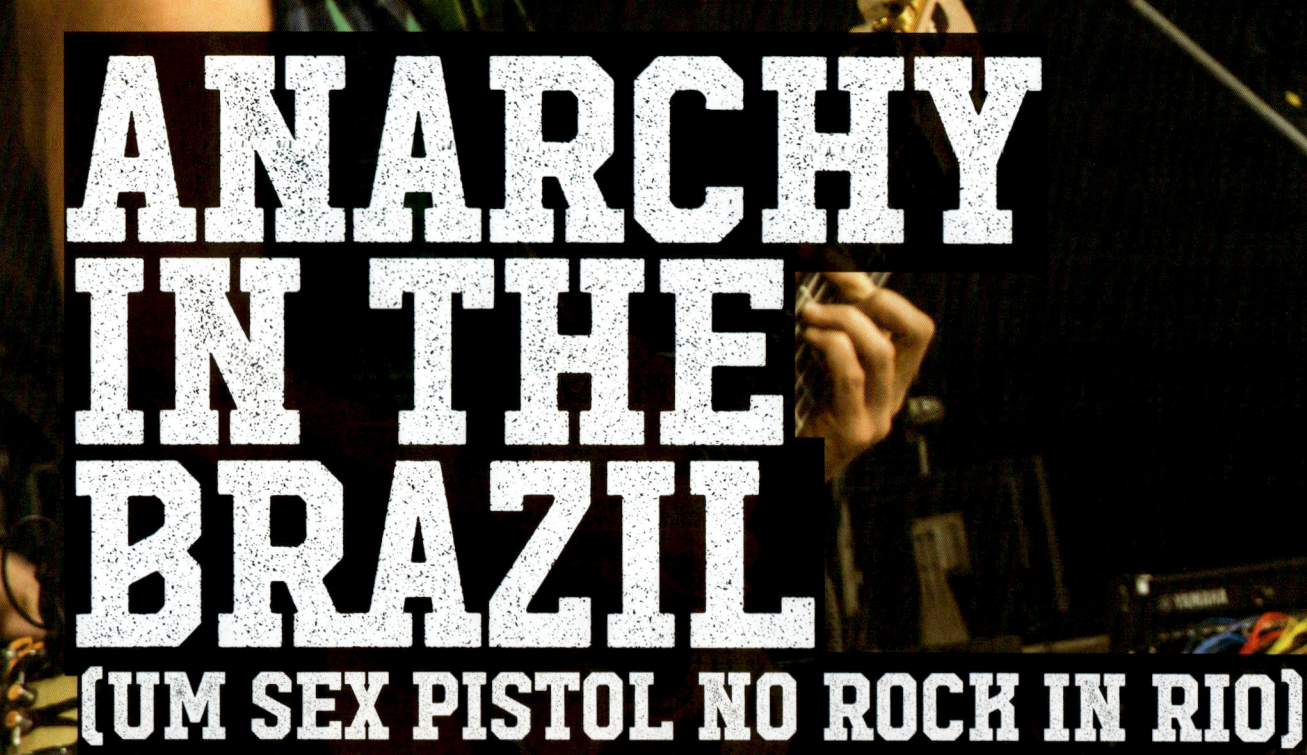

ANARCHY IN THE BRAZIL
(UM SEX PISTOL NO ROCK IN RIO)

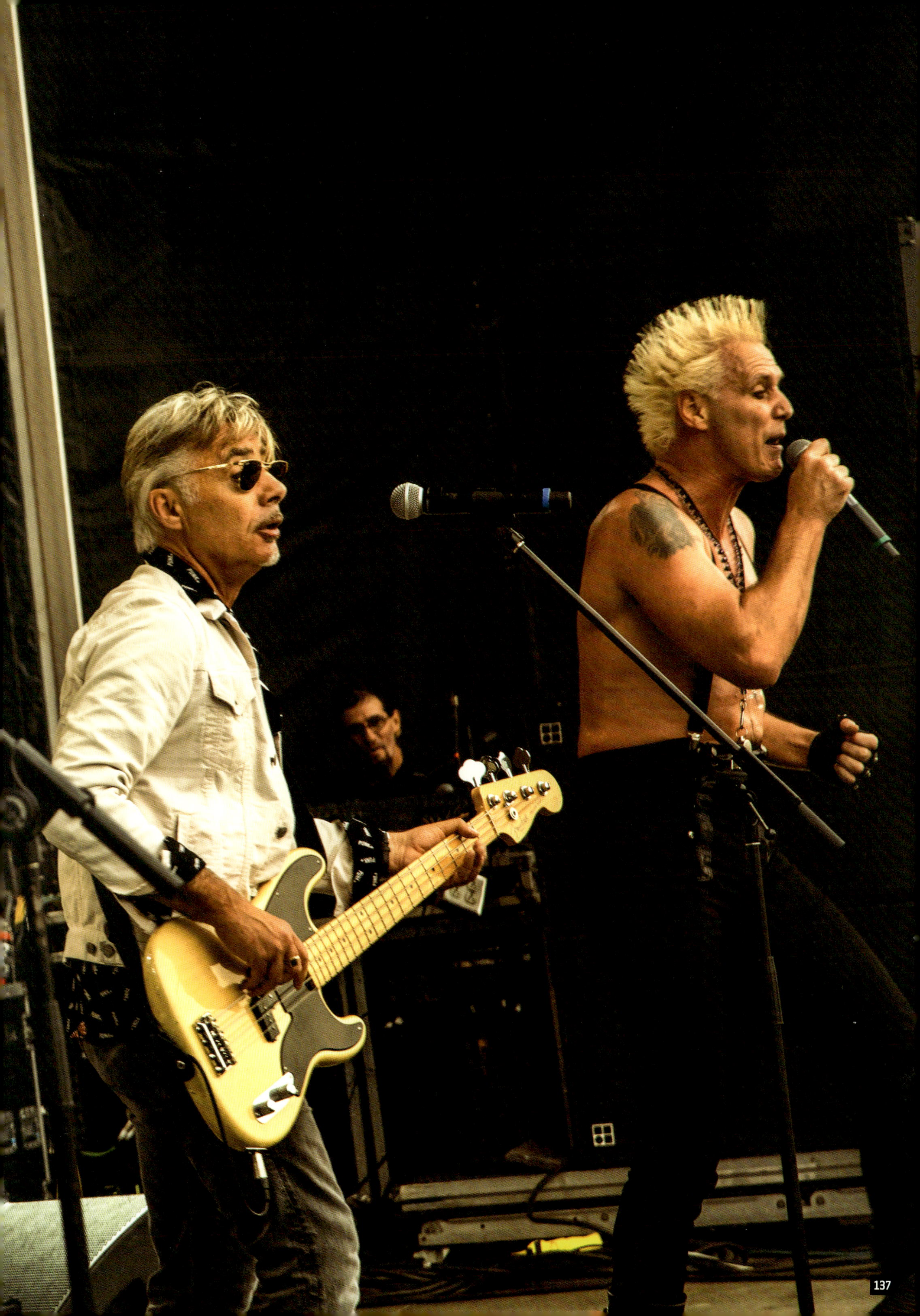

FOTOS YGOR CAROZZI

Apresentação do Brothers of Brazil no Rock in Rio 2015, com a participação especial de Glen Matlock, baixista original do Sex Pistols.

EU CONHECI O GLEN MATLOCK em Londres. Ele foi o baixista original do Sex Pistols e coautor de 10 das 12 faixas do álbum *Never Mind the Bolloks, Here's the Sex Pistols*. Na minha opinião, o Sex Pistols e o Clash foram as duas bandas mais importantes da cena punk da Inglaterra. Por coincidência, fomos apresentados por Bernard Rhodes, ex-empresário do Clash. Bernard tinha convidado o Glen para conferir uma apresentação do Brothers, acabou que ficamos amigos e ele sempre brinca dizendo que onde quer que ele vá, o Brothers está sempre se apresentando... Verdade!

Quando surgiu a oportunidade de convidá-lo para dividir o palco com o Brothers na edição de 2015 do Rock in Rio, não pensei duas vezes! Por sorte, ele estava disponível! O show foi animal, tocamos "God Save the Queen" e "Pretty Vacant" (dos Pistols), "Steppin' Stone" (Monkees), "On My Way" (Brothers of Brazil), "Garota de Berlim" (Tokyo) e um medley de "Surfin' Bird" (Trashmen) com "Rock and Roll" (Led Zeppelin).

O sentimento de estar ali no palco, tocando e cantando essas músicas, foi de pura adrenalina. Quando estávamos ensaiando para o show, o Glen disse pra gente: "O importante é o espírito: se você não tem, nem adianta!". Punk rock forever and ever!

Eu já toquei em quatro edições do festival, e posso dizer que sempre foram momentos importantes para a minha carreira. Um ótimo exemplo foi a primeira vez que toquei no Rock in Rio, em 1991, no Maracanã: logo após a minha apresentação eu assinei contrato com a EMI! E, naquela época, realmente fazia diferença estar numa gravadora.

Tocar no Rock in Rio foi um sonho de adolescente que se realizou; agora, tocar nesse festival junto com uma lenda do punk foi surreal!!!

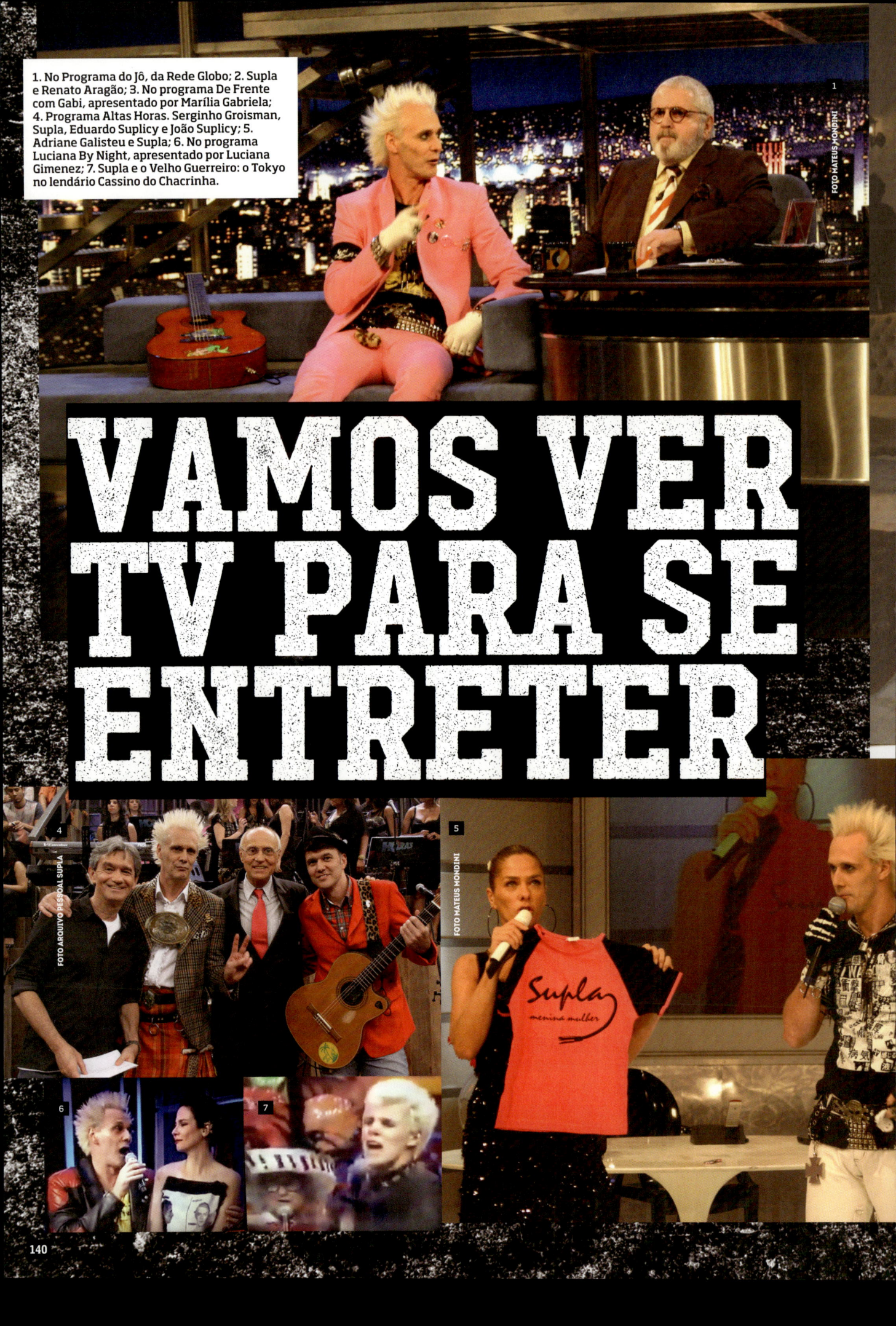

1. No Programa do Jô, da Rede Globo; 2. Supla e Renato Aragão; 3. No programa De Frente com Gabi, apresentado por Marília Gabriela; 4. Programa Altas Horas. Serginho Groisman, Supla, Eduardo Suplicy e João Suplicy; 5. Adriane Galisteu e Supla; 6. No programa Luciana By Night, apresentado por Luciana Gimenez; 7. Supla e o Velho Guerreiro: o Tokyo no lendário Cassino do Chacrinha.

VAMOS VER TV PARA SE ENTRETER

"TODO MUNDO QUER TER UM PROGRAMA NA TELEVISÃO / MOSTRANDO SEU TALENTO OU APENAS O BUNDÃO / EU LIGO A TV E VEJO O QUÊ / É MAIS UM COMÉDIA QUERENDO APARECER / TROCO DE CANAL COM AQUELA EMPOLGAÇÃO / ESSE É MEU DIA DE TELEVISÃO."

Essa foi uma letra que escrevi com o George do Holly Tree logo após eu ter saído da Casa dos Artistas. Eu falo mal, mas amo TV! Já fiz vários programas e foi a televisão que me ajudou a me manter durante todos esses anos junto com a música.

O primeiro programa de TV que participei foi no Raul Gil, em 1986, com a banda Tokyo. E foi muito divertido! Nessa ocasião, lembro de ter visto os Titãs por lá também... Na semana seguinte, fizemos o Chacrinha! O Cassino do Chacrinha passava de sábado à tarde na Rede Globo e foi uma honra participar de um programa que já fazia parte da história da televisão no Brasil. Depois que aparecemos pela primeira vez no programa do Velho Guerreiro, logicamente o telefone do nosso empresário começou a tocar sem parar.

Perdi as contas de quantas vezes fui ao Chacrinha. Rolava um jabá para participar do programa, e nós pagávamos com shows no subúrbio do Rio de Janeiro. Para mim, era uma experiência diferente conhecer o subúrbio carioca, então de certa forma era algo divertido. Nós fazíamos o programa no sábado à tarde e à noite tocávamos no subúrbio. Era sempre na base do playback: um show para o Velho Guerreiro e mais uns cinco na mesma noite que eram pagos para a banda. Era bem cansativo, mas o meu bolso voltava cheio de dinheiro!

Além disso, também saí com algumas Chacretes. Fun, fun, fun!

Eu também adoro talk shows, gosto de ver como as pessoas se expressam falando de suas vidas, compartilhando suas histórias e experiências. Na primeira vez que fui ao Jô Soares, no SBT, eu disse que ia votar no Lula... tomei uma vaia, e retruquei dizendo que todo mundo que estava ali na plateia era pago pra rir ou vaiar, inclusive o Bira (baixista) da sua banda de apoio. O Jô ficou furioso e falou: "Então, no seu show é assim também? Você paga o seu público pra aplaudir?". E eu respondi que "no meu show não, mas aqui no seu programa sim!". Ele foi muito respeitoso, levou em tom de brincadeira e soube conduzir a situação. Eu adoro o Jô, ele é um grande artista.

Ao longo da minha carreira, já apresentei alguns programas e participei de outros. Pode ser que eu esqueça de alguns, mas esses foram marcantes:

Uns vídeos lá em casa (MTV, 2005)
Viva a Noite (SBT, 2007)
Família MTV (MTV, 2004)
Casa dos Artistas (SBT, 2001)
Você é o jurado (SBT, 2007)
Brothers (RedeTV!, 2008-2010)
Brothers na gringa (Mix TV, 2012-2013)
Ídolos (Record, 2012)
Breakout Brasil (Sony, 2014)
Papito in Love (MTV, 2013/2015)

"Vamos ver TV para se entreter / Pode até falar mal, fica até mais legal / É, eu sei, só tem programa ruim / Mas eu gosto."

1

FOTO ARQUIVO PESSOAL SUPLA

PAPITO IN LOVE

1. Papito quer namorar, Papito quer casar: Papito in Love!; 2. Com a governanta e conselheira Conceição; 3. Com o amigo Edgard; 4. Com a ex-namorada Eliana Dias.

MEU DEUS, ESSE PROGRAMA É UMA PEGAÇÃO SÓ...

Papito in Love foi um dos primeiros programas de produção nacional veiculado na nova MTV, em 2013, depois de o Grupo Abril ter encerrado suas atividades e devolvido a marca a sua dona mundial, a Viacom.

Na primeira temporada do reality, o objetivo era encontrar uma namorada pra mim. Participaram a Conceição (governanta), a Maria Eugênia (ex-namorada) e o Edgard (amigo), que me davam conselhos para eu ter certeza de que estava escolhendo a garota certa. Os comentários ásperos dos conselheiros eram uma das coisas mais legais!

Ao longo do programa, as candidatas disputavam entre si um encontro comigo! Tô me achando, né? Não! Era apenas a regra do jogo! Elas tinham que me conquistar! Rolaram algumas cenas hilárias... Como por exemplo um jantar de etiqueta com a minha madrinha Tete, no qual elas mostravam seus dotes de elegância e cultura, falando em outro idioma ou segurando o talher da forma correta para comer escargot! Não fazia ideia de como se comia isso! Foi divertido! No final do jantar, a Tete me aconselhou a sair com uma menina (que ela achou que seria boa para mim), mas escolhi outra. Ela então disse algo do gênero "Hmm, homens", com um tom bem depreciativo...

O desfecho da temporada foi assim: a vencedora teve a chance de escolher entre uma mala com 100 mil reais ou namorar comigo. Ela optou pelo namoro. Mas, infelizmente, o romance com a Giovanna Lourenzetti não vingou. Para mim, Papito in Love virou uma mistura de ficção e realidade. Loucura mesmo!

Chegou 2015 e partimos para a segunda temporada: encontrar uma esposa! Dessa vez seria pra casar, em Las Vegas!

Muita gente me pergunta: "Mas isso não é bizarro, Supla? Encontrar uma esposa num reality show?". Minha resposta: é e não é. Nos dias de hoje, em que você vai almoçar e vê uma família reunida num restaurante e os filhos estão com seus iPads, sem ninguém conversar na mesa, acho até normal encontrar uma esposa num programa de TV. Pra você ver a que ponto chegamos! Além disso, histórias de amor não são raridade na indústria do entretenimento... Diretores de cinema se apaixonam por atrizes e vice-versa... Então, vamos que vamos!

Para a segunda temporada, houve uma mudança no time de conselheiros, com a entrada da Eliana Dias (ex-namorada, mais conhecida como DJ Elle Dee) no lugar da Maria Eugênia.

No dia da grande final, em Las Vegas, adivinhe o que aconteceu... Marina, a garota escolhida, optou pelo dinheiro. A vida segue e valeu a experiência de ter vivido esses momentos. Agradeço a todas as meninas e conselheiros que contribuíram muito para o sucesso desse programa!

Papito in love!

FOTOS MATEUS MONDINI

DIGA O QUE VOCÊ PENSA

1. Making of do clipe de "Diga o que você pensa"; 2. Tatiana Prudencio, coautora das letras de "Diga o que você pensa" e "Parça da Erva"; 3. Making of do clipe de "Parça da Erva", filmado em Venice Beach, na Califórnia.

EU NÃO QUERIA FAZER UM NOVO TRABALHO SOLO. Mas devido à convivência de seis anos e certas divergências musicais com o meu irmão, resolvemos dar um tempo na banda no final de 2015 e cada um seguir o seu caminho, apenas cumprindo a agenda de shows. As coisas são como elas são! E às vezes não tem outro jeito, você simplesmente tem que seguir em frente!

Depois de seis anos tocando bateria e fazendo melodias e letras baseadas nos riffs do violão do João, como seria o meu próximo trabalho solo? Punk rock clássico? Música eletrônica? Punkanova? Jazz funk rock?

Pensei bem e decidi apenas pegar o meu violão e sair compondo novamente. Queria fazer algo que tivesse totalmente a minha cara, uma mistura de tudo que escutei durante esses anos. Mas, acima de tudo, a ideia era ter uma boa melodia e uma letra que dissesse algo importante para as pessoas, algo relevante, algo com o qual elas poderiam se identificar! E eu também, claro!

Falei com a Tatiana Prudencio (que me ajudou bastante com os textos deste livro): "Você já escreveu letras de música?". Ela disse que não, e respondi "bom, essa é uma ótima oportunidade de começar". Ela é uma das pessoas mais inteligentes que já conheci. Politizada, linda e artista, um dos grandes amores da minha vida. Me fez olhar com outros olhos os países da América do Sul, enquanto me contava histórias sobre a exploração espanhola de minérios na Bolívia, na cidade de Potosí. Então, começamos a compor; as primeiras canções que saíram foram "Diga o que você pensa" e "Parça da Erva", que me agradaram bastante.

Ao mesmo tempo em que as canções surgiam, também fui me preocupando com o arranjo delas. Conversei com o Kuaker (produtor, guitarrista e engenheiro de som) e começamos a gravá-las, apenas com um metrônomo, assim teríamos o esqueleto das músicas para fazer o que quiséssemos! Tenho vários tipos de baterias eletrônicas em casa que pouco foram usadas no Brothers: são baterias que você mesmo toca, como uma bateria orgânica, mas as opções de timbres são infinitas!

O primeiro vídeo do novo disco, para a música "Parça da Erva", foi filmado em Venice, na Califórnia. Falei com o Robert Mattoso (diretor de alguns clipes do Brothers como "On My Way", "Viva Liberty" e "Melodies From Hell"), disse que estava passando por Los Angeles e que tinha apenas dois dias para organizar toda a produção e filmar. Ele topou - e adorei o resultado!

Foi tudo muito natural: a molecada que estava ali na frente da pista de skate se juntou e, na hora em que viram aquele baseadão passando de mão em mão, nem perguntaram nada, apenas curtiram o som que rolava nas caixas e fumaram sem nenhum problema em aparecer no vídeo! Foi hilário e um super astral! Sem contar aquele visual de Venice, junto com o skatista Sean arrebentando na pista enquanto eu tocava o parça! Ah, não posso deixar de agradecer pela força dos amigos Thronn e Peter.

Detalhe: enquanto filmávamos, avistamos alguns policias numa distância de uns 500 metros discutindo com pessoas sobre... sei lá o quê! Deu até vontade de falar: "Hi officer, smoke one and relax..."

Pouco tempo depois, foi a vez de fazer um clipe para a faixa "Diga o que você pensa" (aliás, esse foi o nome escolhido para o disco). Dirigido por Mateus Mondini e Lucas Cabu, o vídeo foi captado no centro de São Paulo, com a mesma atitude de espontaneidade do clipe de "Parça da Erva". Chegávamos trocando uma ideia com as pessoas e a filmagem acontecia naturalmente. Como tem que ser.

VIVENDO NO CAOS DO CENTRO

FOTO MATEUS MONDINI

Todas as fotos são do making of do clipe "Diga o que você pensa", filmado no centro de São Paulo no final de 2015, com exceção do retrato no qual o Papito está de óculos, clicado em frente à sua casa na Praça da República.

MORO NO CENTRO. Vivo no coração da cidade e me identifico muito com isso. Várias manifestações acontecem aqui, um lugar onde você encontra o espírito punk urbano no ar durante as 24 horas do dia! Todo tipo de gente circulando: como artista, esse contato é muito importante para mim.

Acostumei-me com Nova York, onde eu praticamente vivia andando pelas ruas e respirando a metrópole. Quando voltei ao Brasil, no começo dos anos 2000, o centrão de Sampa me pareceu o melhor lugar para me estabelecer. Morei por bons anos nos jardins Paulistano e Europa com os meus pais, os bairros mais caros da cidade ao seu redor, tudo arborizado, asfaltado, segurança 24 horas... Mas isso não é bem a realidade, basta sair dessa bolha que a triste desigualdade aparece.

Certo dia, já morando aqui no centro, estava passando debaixo da joalheria Amsterdam Sauer na avenida São Luís e avistei um cara acendendo um cachimbo de crack. Perguntei para ele: "O que você está fazendo? Destruindo a sua vida?". Ele ainda não estava num estado deplorável, então continuei a perguntar num tom suave, mas sério: "Você tem família? Eles sabem de você?". Ele respondeu, "Faz um ano que fugi de casa, sou de Niterói, tenho um filho e sou separado".

Ligamos para a mãe dele que começou a chorar no telefone, pois ela achava que ele já estava morto. Mesmo assim, ela me alertou: "Não dê dinheiro para ele, pois ele vai gastar em crack!". De fato ele tinha pedido um dinheiro para ir a uma clinica de reabilitação em Santos. Eu dei a grana, na esperança de que ele talvez enxergasse uma luz no fim do túnel.

Enquanto conversávamos, ele chegou a falar: "Nossa, é o Supla! Eu tô viajando ou é de verdade?". Então retruquei, "Verdade total! Deve ser um sinal, não acha? Então pegue essa grana e vá para a clínica, faça isso por você e pelo seu filho!". Uma semana depois, liguei para a mãe dele. Ela me disse que ele tinha sumido novamente. Uma pena... Tem que ser muito forte para sair de uma situação dessas e largar o vício...

O centro é lindo, mas tem dessas coisas.

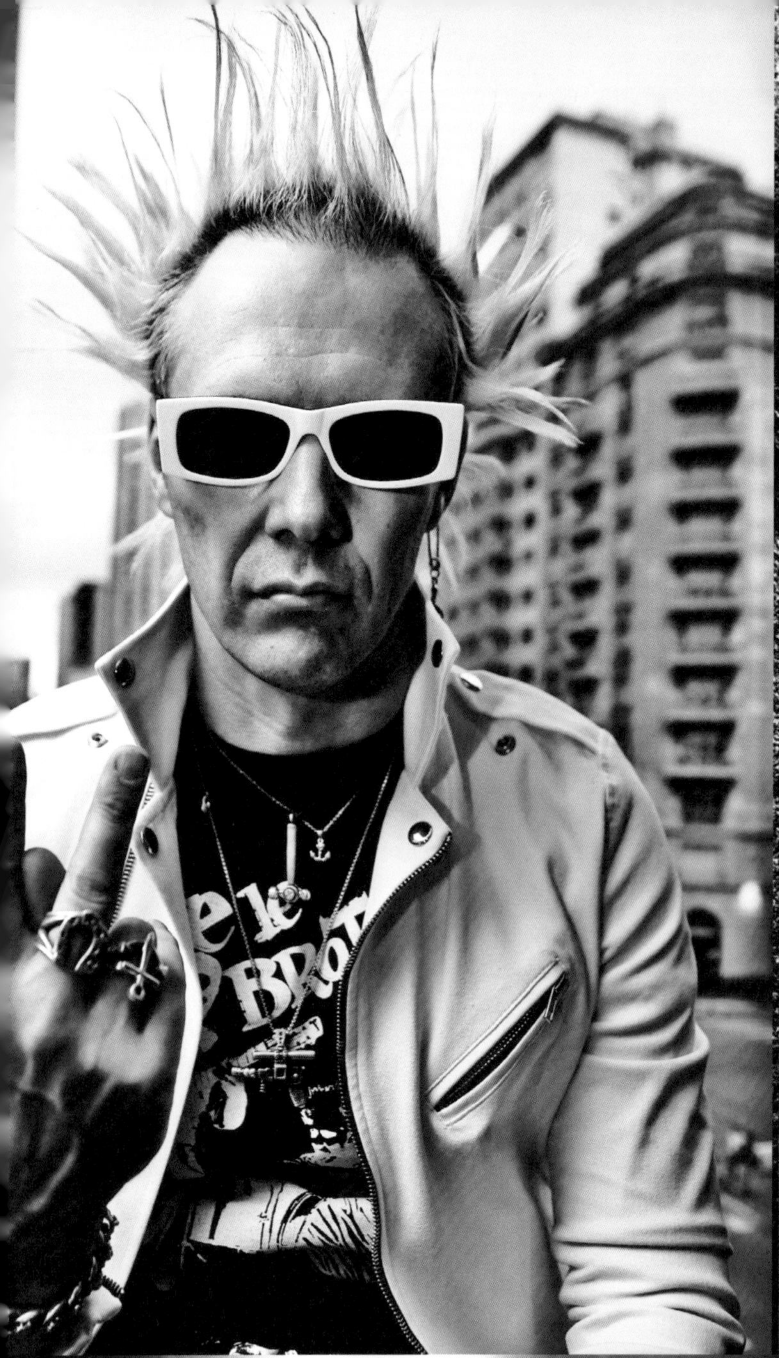
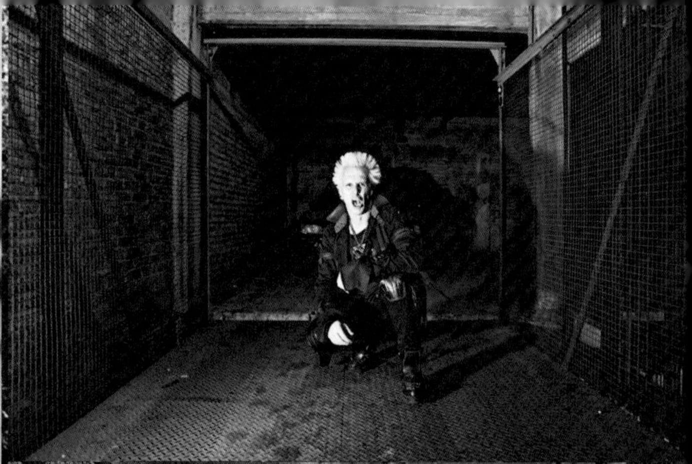
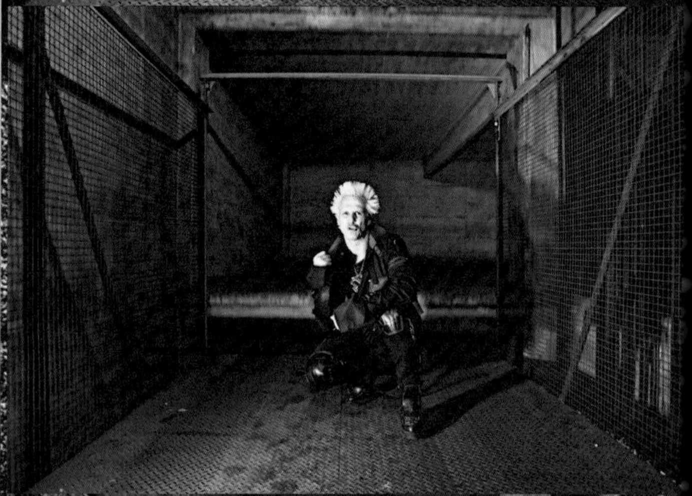
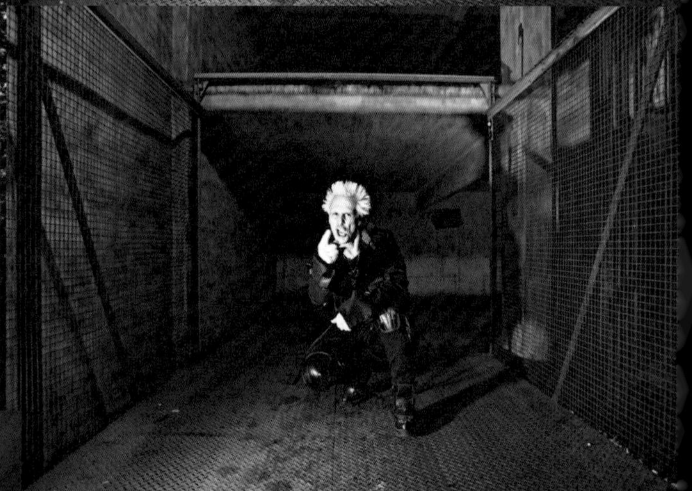
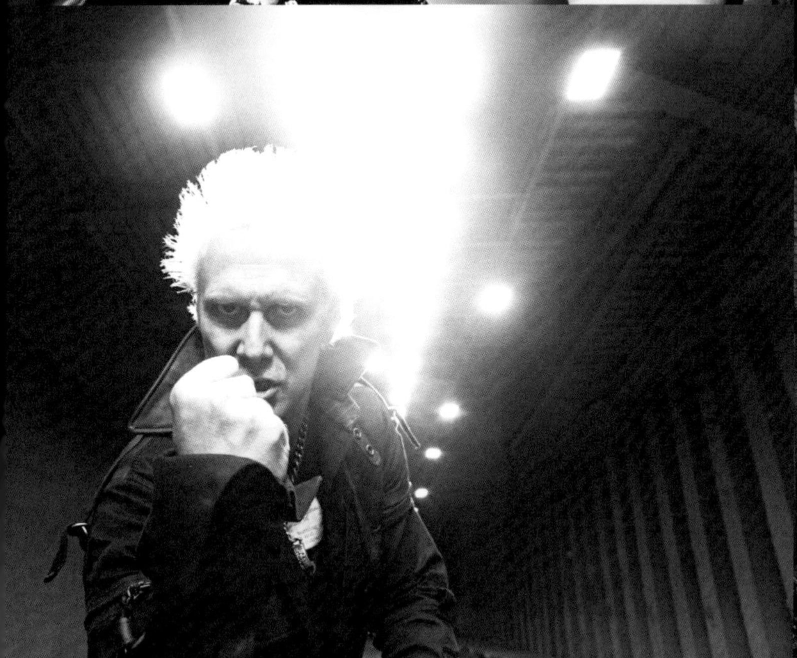
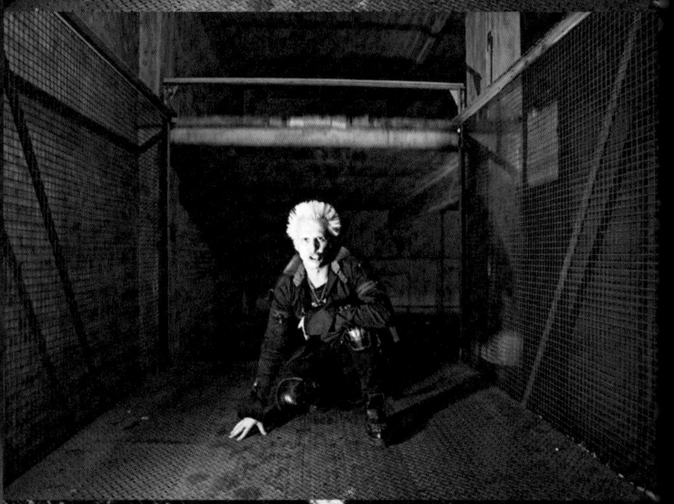

AGRADECIMENTOS

EM PRIMEIRO LUGAR quero agradecer ao meu pai e a minha mãe que me fizeram, sem o amor deles eu não estaria aqui!

A todas as pessoas que marcaram a minha vida e ainda continuam presentes, e a todos que me ajudaram na minha carreira, são muitos nomes para citar... mas saibam que agradeço do fundo do meu coração, de verdade, sem vocês eu não estaria aqui contando as minhas histórias. Muito obrigado!

E finalmente aos fãs: sem eles nada disso existiria!!!

Amo todos, pelo bem e pelo mal! Vocês me ensinaram a lidar com a vida, a enfrentá-la sem medo de ser quem sou.

Diga o que você pensa!

(sem ordem de importância)

Família: começando por pais e irmãos.
Eduardo Matarazzo Suplicy e Marta Teresa Suplicy.
André e João Suplicy.
Tias e tios: tia Tete (pelos discos que eu roubava dela, por ter me apresentado ao Obie Benz e por ter dirigido o clipe de "Metralhar e não morrer"), tia Xina (in memoriam), tio Zizio (sempre divertido e bravo ao mesmo tempo).
Primos: Chico Aragão (eu apreciava o seu estilo moderno de viver, realmente me inspirou) e Zé Eduardo Matarazzo Kalil (o maior polista do Brasil).
Avós por parte de mãe: Luiz Jaime e Noêmia.
Avós por parte de pai: Paulo Cochrane Suplicy e Filomena Matarazzo (pessoas que passaram os seus conhecimentos de humildade e educação adiante. Muito obrigado!).
Obrigado from the heart: Tatiana Prudencio (por ter me aturado e acreditado neste livro, muita paciência, né Champs? Muito amor, thanks, gracias!).
Obrigado ao Vinny Campos (por acreditar em mim todos esses anos. O melhor designer de website).
Obrigado a Edgar Avian (por ter vestido a camisa e gravado o DVD *Supla: só na loucura*, tocado bateria no álbum *Vicious*, atuado no programa Brothers como o personagem Sid, o mais punk, e na banda Brothers of Brazil como roadie e baterista nas horas em que eu deixava de ser drummer boy. Ele também é coautor da música "Arrasa Bi", que considero totalmente punk, e trabalhou no reality Papito in Love, como meu amigo-conselheiro).
Obrigado Edições Ideal (todos do staff, por acreditarem neste livro. Um salve especial ao Viegas, Felipe e Maria).

Agradecimento especial a todos os fotógrafos que contribuíram com seu talento para este livro: Mateus Mondini (esquema punk rock... best fucking pics), Bob Gruen, Jessica Rose (in memoriam), Marcelo Rossi, Mujica, Geraldo Luis Gomes, Amanda Binato, Marcos Bonisson, JC Volotão, Elizabeth Gregory-Gruen, Dede Fedrizzi, Flavio Colker, Marta Ayora, Thanira Rates, Midori De Lucca e Ricardo Toscani (Vogue Brasil/Edições Globo Condé Nast), Virginia Fonseca, Emmanuelle Bernard (Revista Trip), David Helman, Ygor Carozzi, João B. da Silva, Cláudia Ferreira, Derli Barroso e Alexandre Ermel. Fizemos todos os esforços para localizar os fotógrafos responsáveis pelas imagens neste livro, mas infelizmente em alguns casos foi impossível. Caso a sua foto seja uma das não-identificadas, fica aqui o meu sincero pedido de desculpas.

Amigos de rádio: Fernando Di Gênio da Mix (por acreditar no álbum *O Charada Brasileiro* e realizar o programa Brothers na Gringa, na Mix TV); Junior da 89 (por ter dado muita força no começo do Tokyo e ter ajudado o Brothers of Brazil a se legitimar na rádio); Tutinha, por nem sempre ser generoso, mas quando foi, foi de verdade; Um salve ao Emílio e a turma do programa Pânico; Evaldo e sua equipe na Kiss (Titio Marco Antonio, Samuca, Rosangela, Barbara, Branco, Rogério, Marcelo, Ciba); Tatola (por sempre receber o Brothers no seu programa); Maia e Yuri pela generosidade; Programa Ramona; PH na tarde da 89; Zé e seu Balacobaco; Marcelo Braga da Mix (por seus conselhos e apoio); Marco Vica; Van Damme da Rádio Cidade (por ter colocado o Brothers nas ondas do rádio no RJ) e a Gi da Rádio Transamérica (um salve ao Transalouca).

Amigos da TV: Silvio Santos por existir; MTV antiga (Anna Butler, Aninha, Alê, Leandro, Caio e a família da Abril, Gianca, Titi); Rede Record (pelo programa Ídolos); RedeTV! (pelo programa Brothers); Antônio Calmon (por me escalar na minissérie Sex Appeal); Ricardo Wadington (por ter colocado a minha música em novelas); Denis Carvalho (por ter me dirigido na novela Um Anjo Caiu do Céu, na Globo); Cininha de Paula (por ter me escalado para o Sítio do Picapau Amarelo); Jô Soares e o seu diretor Villen (por sempre me tratarem com respeito. Vocês são craques!); Chacrinha, Faustão e Raul Gil (por receberem o Tokyo); Sérgio Groisman e programa Altas Horas (desde a época do SBT com o Programa Livre, fala garoto! Valeu, Serginho!); Marília Gabriela (por sempre me receber com atenção e carinho!); Obrigado, Marcos Mion (com seu Piores!!); Beto Rivera na Cultura (por sempre passar o clip do Tokyo); Boninho (diretor de clipes no Fantástico como "Romântica", em parceria com Cauby Peixoto, e "Humanos"); Jodele (pelo clipe de "Nem tudo é verdade" no Fantástico); Luciano Huck (por me receber em seu programa para divulgar a minha música); Gugu Liberato (desde a época do Viva a Noite!); Danilo Gentili (por me receber em seu programa); Adriane Galisteu (sempre muito educada); Luciana Gimenez (por participar do clipe "Cenas de Ciúmes"); Carlos da Fremantle (por ter acreditado no Papito in Love); Daniela Busoli (e sua equipe da Formata); valeu Leo por ter organizado o Papito 2; Thiago York da nova MTV e sua equipe; valeu Elisa (obrigado por apostar em mim!); Regina Casé (sempre me convidou para ir a seus programas); Monica Pimentel (por ter me contratado na RedeTV!).

Amigos do cinema: Héctor Babenco e Bárbara Paz (por terem me chamado para interpretar a mim mesmo em "Meu Amigo Hindu"); Ricardo Van Steen e Paula Alzugaray (por terem me chamado para interpretar Mário Lago no filme "Noel - o Poeta da Vila"); Renato Aragão (por ter me convidado para fazer o papel principal junto com a Angélica e ter todos os Trapalhões reunidos em seu último filme, "Uma Escola Atrapalhada").

Lista "Foto com Deus e o Mundo": Alice Cooper, Keith "Monkey" Warren (The Adicts), João Suplicy (aparece em várias fotos), Anderson Silva, Joan Baez, Karen O (Yeah Yeah Yeahs), Boneco do Supla, Tio da banana, Danilo Gentili, Palmirinha, Nelson Sargento, Adam Ant, Criolo, Vivienne Westwood, Joan Jett, Hugh Cornwell (The Stranglers), Chrissie Hynde, Mike Ness (Social Distortion), Caetano Veloso, Patti Smith, Neymar, Eugene Hütz (Gogol Bordello), Lovefoxxx,

Junior Lima, Sandy, The Rezillos, ZZ Top, Steve Jones (Sex Pistols), Marky Ramone, Marcos Mion, Fafá de Belém, Marcos Camargo, Don Letts, Nasi, Pitty, Andreas Kisser, Derrick Green, Os Paralamas do Sucesso, Robinho, Traci Lords, Zé do Caixão e Marta.

Obrigado Paulo Lima da Trip (from the heart, você sempre entendeu, de backside neles!); Celita Procopio de Carvalho e Antonio Bias Guillon da FAAP (por acreditarem na exposição do Bob Gruen e me convidarem para ser o curador); Luis Maluf da revista Caras (obrigado por sua atenção); Celso Kamura por sempre liberar o seu salão; Natalia (sabe tudo de cabelo, muito obrigado, Nati!! Por estar sempre presente e me deixar sempre maravilhoso); Conceição (por estar sempre presente aqui na minha residência nos bons e maus momentos); Eliana Dias (por ter participado do Papito in Love e sempre me apoiar, mesmo depois de muitas brigas); Roberto Medina e Roberta Medina (Rock in Rio); Rubem Medina (Artplan); Zé Ricardo (Rock in Rio palco Sunset); Sepultura, especialmente ao Andreas Kisser (por existir); Nico Gomes (primeiro iluminador da banda Tokyo); Cesio Lima (iluminador do meu primeiro show no Canecão); Rui Vilarinho (primeiro empresário do Tokyo); José Muniz Neto (Mercury, maior empresário de heavy metal no Brasil); Alexandre (Time For Fun); Rico (Alive); Bill (meu ex-empresário, por sua dedicação); Wagner Fulco (obrigado pela força em Los Angeles ao Brothers); Marcio Punk (Lambrusco Kids); Cesinha (HS Merch, pela assistência das camisetas); Mônica Bergamo (por registrar todos os momentos); Revista Rolling Stone (por sempre noticiar o Brothers); Babu da UOL (pela força nos sons); Adriana da UOL (sempre mais que presente); Hebe Camargo, in memoriam (very nice lady, grande cantora); Roger do Ultraje a Rigor (por ter me chamado para cantar com ele num show histórico da 89); Ira! (por me influenciar nas letras... "Longe de tudo, longe de você"); João Gordo (por me receber em seu prograema na MTV algumas vezes); Lobão (por chamar o Brothers para o seu programa musical na MTV); Zé Antonio (por me convidar para fazer o Breakout Brasil na Sony); Fernanda Telles (por me dar várias dicas no programa Ídolos); Wanderley Villa Nova (diretor do Ídolos); Dody Sirena (por me contratar para tocar no meu primeiro Rock in Rio); Gustavo Sirotsky (por ter contratado o Brothers para tocar no Planeta Atlântida); Augusto Conter Filho (pelas páginas do Facebook); Jimmy Gestapo e Murphy's Law (por abrir as portas no hardcore de NY); Robert Butcher (diretor do clipe de "Green Hair"); fã clube do Brothers of Brazil (por estarem sempre presentes, from the heart, do coração); Larissa Zylbersztajn (pela força e conselhos! Love you!!); Danilo na guitarra e H no baixo (gravaram Vicious e o DVD Supla - só na loucura); Alan Terpins (dono do estúdio A Voz Do Brasil); Ivo (engenheiro de som A Voz Do Brasil); Tico Terpins, in memoriam (deu o nome à banda Tokyo); Marcos Maynard (por ter assinado com o Tokyo na CBS); Jorge Davidson (por ter me assinado na EMI); Glauber (Barraventoartes, Daniel e Eric); Marquinhos Fernandes (por sua amizade e pelos vídeos de "Encoleirado", "Só Pensa na Fama", "São Paulo" e "Bizness"); Embu (diretor do programa Brothers na RedeTV!); Ricardo (diretor do Brothers na RedeTV!); Rogério Farah e sua equipe (diretor do Papito in Love); Ernani Nunes, diretor do Papito (obrigado pelos créditos e música); Ivan Finotti (um dos primeiros jornalistas a acreditar no Brothers); Maria Eugênia (por participar do programa Brothers na RedeTV! e Papito in Love na MTV); Marcelo Tadeu Hermano (pelas letras e loucas ideias na TV); Drico (pelo DVD Supla - Só na Loucura e os vídeos de "Sailing" e "Menina Mulher"); Maurício Eça (dirigiu os vídeos "Garota de Berlim" e "Língua falou"); DJ Nuts (tour Charada Brasileiro); Paulo Sous (pelas influências de bateristas); Daniel Motta Abate (pela capa do Melodies From Hell); Zé Rodrix, in memoriam (por ter ajudado a fazer a música "Humanos"); Rafael Erdei (pela força ao Brothers); Obie Benz (por ter me introduzido à verdadeira New York e ter me hospedado inúmeras vezes na sua casa no Soho. Love you, man); Bernard Rhodes (ele que deu o nome do Brothers of Brazil e indicou vários caminhos a seguir); Eugene (por sempre estar presente nos shows do Psycho 69 filmando tudo e gravar "Green Hair" no seu estúdio); Jenn Littleton (empresária do Brothers na América); Robert Mattoso (por fazer os melhores vídeos para o Brothers of Brazil); Steves Weed (helping out in the hard moments); Aimee Kristie e Keith Roth (por acreditarem no Brothers e tocarem a música "On My Way" na Rat Radio (rádio rock de NJ); Marc Regan (por assinar o Brothers na Main Man Records); Jessica Rose (in memoriam), uma grande artista que me deu todas as ferramentas para acreditar na minha bossa furiosa em NY; DJ Kojak (por entender a mistura da bossa nova com o mundo); Peter Steen Olsen (pelas letras e conversas inteligentes); Polyana Wilson (por me apresentar a seu irmão campeão de surf Donny, uma das lendas vivas do surf de Malibu); Bob Gruen (por me contar várias histórias do rock and roll e me apresentar aos meus ídolos musicais. Suas fotos me serviram de inspiração); Greta (pelo apoio de formar o Supla Zoo e tocar baixo); Frederico Lapenda (por me abrir as portas no Cat Club com Slim Jim do Stray Cats); Zack and Josh in LA; Mayra Dias Gomes e Liz Angeles; Bebe Buell; Lisa Brownlee (por ter indicado o Brothers para a gravadora norte-americana SideOneDummy); Bill Armstrong e Joe Sib (donos da gravadora SideOneDummy, por terem assinado o Brothers e colocado a gente nos melhores festivais e na rádio de Los Angeles); Kevin Lyman da Warped Tour (por ter nos recebido com muito entusiasmo) e todas as bandas que nos trataram com muito respeito em turnê: The Adicts, Flogging Molly, Adam Ant, The Aggrolites, Jesse Malin e especialmente Hugh Cornwell. Much respect.

Banda Os Impossíveis: Flavio Martins Figueiredo (in memoriam) - guitarra/voz e grande inspiração; Zique - guitarra; Loque - baixo.

Banda Metrópolis: Rodrigo Andrade - guitarra e vocal; Pinho - baixo; Paulo monteiro - guitarra.

Banda Tokyo: Marcelo Zarvos - teclados; Bidi - guitarra; Rocco - bateria; Andres - baixo. Segunda formação do Tokyo: Decio Novaes - guitarra; Marcelo Sous - teclados.

Banda Psycho 69 (que me ensinou como cantar no meio de uma guerra caótica sonora): Steg Von Heintz - guitarra; Louie Gasparro - bateria; François - baixo.

Banda Supla Zoo: João Salomão - guitarra; Greta - baixo; Mackie - bateria. Segunda formação com Louie Gasparro na bateria.

Carreira solo (músicos de apoio):
Paulo Lata (in memoriam) do meu primeiro álbum solo.
Dr Sin: Eduardo Ardanuy - guitarra; Andria Busic - baixo; Ivan Busic - bateria.
Banda Subsolo: Tomati - guitarra; Cuca - bateria, Edu - baixo.
Banda Holly Tree: George - guitarra; Tito - baixo; Zé - bateria.

Produtores: Luiz Carlos Maluly (produtor dos dois primeiros álbuns do Tokyo, Humanos e O Outro Lado); Luiz Carlini (produtor do primeiro disco solo); Marcelo Sussekind (produtor do álbum Político e Pirata); Roy Cicala (produtor do segundo disco do Brothers, On My Way); João Barone (produtor do álbum Encoleirado); Liminha (produtor do álbum Menina Mulher); Mario Caldato Jr (produtor do primeiro disco do Brothers, Samba Around the Clock); Jon Tiven e Jimmy Walls (produtores do terceiro álbum do Brothers, Melodies From Hell); Kuaker (por produzir várias demos do Brothers e produzir junto comigo o álbum Diga O Que Você Pensa. Você me surpreendeu, Kuakerzinho! Obrigado, man!).

Desculpe se esqueci de alguém... Fica para o próximo livro!

EDIÇÕES ideal

Este livro foi composto em Soho LT, com textos auxiliares em Hudson NY Slab Press.
Impresso pela gráfica Edelbra, em papel Couchê Fosco 115g/m². São Paulo, Brasil, 2016.